# Gaza-Jéricho

Collection *Monde en cours*

Série *Rebonds/Libération*
dirigée par Michel Samson et Jean Viard

Couverture :
conception et illustration Antoinette Sturbelle
d'après photo © AFP


ISBN 2-87678-151-4

# Gaza-Jéricho

## Une signature historique

*éditions de l'aube/libération*

# Préface
## Le temps de l'écriture

*C'est quand on a lu le texte qu'on a su. Qu'on a commencé à comprendre. Qu'on a commencé à croire.*

*Jusque-là on avait entendu, vaguement été au courant, écouté, oublié. De démentis en confirmations, de bribes d'interviews en morceaux de scoop, on sentait que se tramait de l'important. Mais les images et les paroles qui passent ne savent pas fixer les choses. Tant que l'écriture n'est pas venue arrêter les mots rien n'est sûr, et surtout pas la paix qui, si elle est dialogue — donc parole, ne prend corps que si elle peut être lue. Quand on a pu lire, lentement, le texte des accords préliminaires de paix dans* Libération *le 1er septembre 1993, on a compris qu'une page de l'histoire du Moyen-Orient et du monde était tournée. Ecrite, donc vraiment tournée.*

*On était loin de l'idée qui fut à la mode avant et pendant la guerre du Golfe et selon laquelle* *désormais la diplomatie, les relations internationales, les conflits géopolitiques se régleraient en direct-*live *sur CNN, dans le règne immédiat de l'image et de la sensation. Il ne se passait rien d'autre que la montée en puissance de la guerre quand, par télévision interposée, Saddam Hussein et George Bush affectaient de discuter pardessus les mondes à travers les ondes. Ainsi, l'image serait du côté de la guerre, l'écriture du côté de la paix...*

*Un bref survol des mots et des écrits depuis que le Proche-Orient est ravagé par les guerres d'après la Seconde Guerre mondiale tendrait à conforter cette idée. Aux débuts de l'implantation de l'Etat d'Israël, les expulsions à l'attentat, les armes de nuit, s'accompagnaient de silence, de dissimulations et de proclamations. Pas de textes échangés — qui auraient paru ridicules aux victimes arabes qui fuyaient comme aux jeteurs de mauvais sort. Durant les guerres arabo-israéliennes, les bombardements, ripostes et fuites dans le désert révélaient toujours la peur du dialogue de l'ensemble des belligérants.*

*Faible lueur d'écrit : les accords de Camp David le 27 mai 1979 quand Begin et Sadate paraphèrent le texte que le parrain américain avait écrit pour eux. Texte accepté, à moitié rédigé, signature : on abordait là les rivages de la paix parce qu'on acceptait de s'écrire, au moins de se lire. Une partie essentielle manquait à la table et Camp David ne pacifia qu'une partie du monde en guerre, avant que les flammes ne se rallument.*

*Et voilà qu'en septembre 1993, après des mois de secret, les délégations palestinienne et israélienne donnent à lire au monde un texte issu de mois de conversations dans l'ombre protectrice d'hôtels et de résidences norvégiens. Le texte est lourd, répétitif, engoncé dans des précisions diplomatiques interminables, mais il s'est lu immédiatement avec légèreté : il créait de la tranquillité au cœur. Car il dit de la manière la plus formelle que les différentes parties se sont parlé, écoutées et qu'au bout du compte elles se sont entendues. Chacun a parlé pour lui, chacun a parlé avec l'autre. Et le texte est la preuve concrète, irréfutable, que les ennemis ont inventé un changement radical d'époque et d'espace mental.*

*Les uns et les autres avaient déja joué autour des textes. On se souvient par exemple que l'OLP avait déjà annoncé lors d'une réunion décisive de son parlement qu'elle reconnaissait les résolutions de l'ONU et l'existence d'Israël — et c'était le signe d'une volonté nouvelle de dialogue. Il s'agissait encore de textes écrits par d'autres, pas d'un texte coécrit avec l'ennemi d'hier devenu interlocuteur.*

*D'ailleurs les lacunes mêmes du texte d'aujourd'hui en disent l'authenticité. S'il n'y a par exemple pas de différence notable entre la ver-*

*sion française palestinienne et la version française israélienne de l'accord, dont la seule version officielle est rédigée en anglais, il y reste des zones d'ombre. Mais elles sont actées : ces vides sont inclus dans un texte plein et la* Jericho area *du texte anglais, dite* zone *dans la version OLP, est appelée* région *par l'ambassade d'Israël à Paris. C'est bien que l'incertitude demeure sur l'espace que les Palestiniens devront gérer autour de la « plus vieille ville du monde ». Et la commission mixte, dont la composition et la tâche sont minutieusement décrites dans l'accord, est officiellement chargée de trouver les mots qui définiront précisément jusqu'où s'étend cette* Jericho area.

*Bref, l'écrit encore une fois nous a dit le changement du monde, et l'image n'est venue qu'en confirmation. La poignée de main entre Arafat et Rabin était légère comme un symbole heureux, elle n'était pas la chose elle-même et ne puisait sa densité que dans ces feuillets lentement négociés, virgule après formule, répétition après précision. « Voici venu le temps des négociateurs anonymes, des politiciens calculateurs, des géographes sans panache, des économistes du court terme », se réjouissait sur l'instant Ghassan Salamé dans un texte qu'on lira plus loin. Autre façon de dire qu'au règne des armes et des imprécations a enfin succédé celui des calculettes, des contrats, des outils de géomètres et des mots pesés au trébuchet.*

*C'est donc par la lecture qu'on sut que l'affaire était d'importance et chacun le comprit, qu'il fût un ardent partisan de la réconciliation, un sceptique ou un farouche opposant au processus nouveau. C'est pourquoi quelques jours à peine après la révélation de l'accord, intellectuels arabes, israéliens ou d'ailleurs, sollicités par* Libération *pour ses pages Rebonds, prirent volontiers leur plume pour dire ce que, pour eux, signifiait ce changement d'ère. La coopération avec la revue éditée par l'Institut du monde arabe de Paris,* Qantara, *fut une clé pour approcher des gens peu connus en francophonie.*

*Comme un symbole, le premier texte publié dans ces pages aujourd'hui rééditées en livre fut celui de Mohamed Sid-Ahmed, intellectuel, écrivain et journaliste égyptien ; le dernier, celui de l'écrivain israélien David Grossman qui se demandait tout simplement s'il est possible, aux deux camps, « d'imaginer la paix », d'apprendre à vivre sans son ennemi préféré et honni.*

*La question est brûlante pour cette brûlante partie du monde. On sent qu'à peine formulée elle dépasse largement son territoire de départ. Comme on sait que sortant de la face sombre du nationalisme les deux protagonistes de la paix ont lancé un message qui les dépasse largement. On espère qu'il sera entendu au flanc sud-est de l'indifférente Europe, où quelques signatures au pied de textes de cessez-le-feu rédigés par d'autres, masquent mal la volonté de guerre, dans l'ex-Yougoslavie, dans les marges de la Russie ou dans un continent africain ravagé par les armes.*

*Que le premier livre coédité par* Libération, *à partir de ses Rebonds, et les éditions de l'Aube soit consacré à une page décisive de l'histoire de cette fin de siècle et dont le poids fut révélé par l'écriture, c'est comme une aubaine et bon signe.*

Michel Samson

## Proche-Orient : le tournant crucial

Par Mohamed Sid-Ahmed*

Pour déterminer la signification, la portée, voire les limites, de l'accord sur l'option « Gaza-Jéricho d'abord » négocié secrètement, en Norvège, entre Shimon Pérès et un haut responsable de l'OLP, il faut placer l'événement, de toute évidence « historique », dans le cadre bien plus large des restructurations en cours depuis la fin du monde bipolaire. En fait, la bipolarité n'a pas disparu avec l'écroulement de l'URSS, mais elle assume désormais des formes moins formelles, plus insidieuses. Il ne s'agit plus de la confrontation Est-Ouest entre deux blocs géographiques, idéologiques et militaires antagoniques ; mais d'une confrontation Nord-Sud entre munis et démunis, où, avec l'effondrement des idéologies laïques, les protagonistes attribuent (ou se voient attri-

* Journaliste et écrivain au Caire.

buer) l'incompatibilité de leurs identités à des conflits de civilisations, des intégrismes religieux, la résurgence des ethnies, des nationalismes, etc.

L'irréductibilité du conflit Est-Ouest à l'échelle planétaire nourrissait au Proche-Orient l'irréductibilité du conflit israélo-arabe. La paix paraissait exiger, pour tous les protagonistes, des sacrifices plus lourds que la perturbation du *statu quo*. Tous pensaient qu'ils avaient plus à gagner du soutien que leur apportait la superpuissance qui les parrainait que d'entamer sérieusement une négociation. Madrid n'a eu lieu qu'avec l'effondrement de la bipolarité Est-Ouest. Mais aussi, après que la crise du Golfe eut prouvé aux Américains que les atouts stratégiques d'Israël leur avaient été, certes, inestimables au temps où la guerre avec l'URSS était une hypothèse vraisemblable, se transformaient en lourds handicaps en cas de guerre interarabe. Voire, avec la vulnérabilité du pétrole arabique que l'invasion du Koweït mettait en relief, qu'une solide alliance avec les Arabes, adversaires de Saddam Hussein, leur devenait indispensable.

Cette nouvelle donne a amorcé une restructuration dans la région dont l'accord passé entre l'OLP et le gouvernement

Rabin est, en un certain sens, l'aboutissement logique. Auparavant, la « contradiction principale » était entre Arabes et Israéliens. Les conflits interarabes étaient nombreux, mais les parties arabes ont longtemps voulu croire — et faire croire — qu'elles étaient toujours capables de subordonner leurs désaccords au conflit avec Israël.

Sadate fut le premier à enfreindre ouvertement la règle. Son voyage dramatique à Jérusalem était moins déterminé par le désir de négocier séparément avec les Israéliens que par la déception de voir son pays secoué par des émeutes de la faim à un moment où, grâce à sa guerre d'octobre et aux sacrifices que son pays avait consentis, les prix du pétrole étaient montés en flèche : d'autres pays arabes devenaient fabuleusement riches, mais il ne manifestaient pas à l'égard de l'Egypte (qui subissait le gros de la confrontation avec Israël) la solidarité qui lui était due. Sadate voulut avertir les pays pétroliers arabes que c'était toujours l'Egypte, et pas les Etats richissimes du Golfe ni les régimes panarabes radicaux, qui détenait les clés du jeu. Postulat que beaucoup, à l'époque, contestaient. Sadate, finalement, fut assassiné. Mais il récupérait, à titre posthume, le Sinaï.

La crise du Golfe, une décennie plus tard, portait les contradictions interarabes à leur comble. Pour les pays pétroliers de la péninsule arabique, ce n'était plus Israël, mais l'Irak de Saddam Hussein qui était désormais l'« ennemi principal ».

Le processus de paix inauguré à Madrid est donc soutenu par la majorité des régimes arabes qui espèrent éviter que la perpétuation du conflit avec Israël ne déstabilise encore davantage la région, surtout face à une montée irrépressible du mouvement contestataire se réclamant de l'islam radical. Mouvement que l'Iran est souvent accusé d'inciter. La « contradiction principale » n'est donc plus celle qui oppose Israël aux Arabes, mais une contradiction Nord-Sud où le « processus de paix » constitue le mécanisme par lequel la région se voit rattachée au Nord. Le mouvement qui, dans le monde islamo-arabe, rejette le processus et l'accuse de promouvoir de nouvelles formes — inédites — d'hégémonie néocolonialiste, qu'il s'agisse des intégristes musulmans, de panarabistes jusqu'au-boutistes, ou d'opposants intransigeants à l'Occident « impérialiste », constituerait, en revanche, le nouveau Sud. Ce sont donc les conflits au sein même des rangs arabes qui, désormais, déterminent les grandes options dans la région.

L'OLP ne fait pas partie du nouveau Sud. Du moins sa direction suprême. Surtout depuis que Arafat déclarait solennellement à l'assemblée générale de l'ONU à Genève, en 1988, qu'il reconnaissait unilatéralement Israël, qu'il renonçait au terrorisme et qu'il endossait les résolutions 242 et 338 du Conseil de sécurité. Par une telle déclaration, Arafat se déterminait clairement à l'égard de la nouvelle problématique Nord-Sud. De son côté, le gouvernement israélien, surtout celui des travaillistes, ne pouvait pas continuer indéfiniment à invoquer le terrorisme pour justifier l'exclusion de l'OLP du processus de paix. Rabin ne déclarait-il pas, à la séance du cabinet qui entérinait l'accord d'Oslo, qu'« il y a, aujourd'hui, dans le monde arabe, une volonté de parvenir à la paix, que la réalité d'une montée khomeinyste dans tout le monde musulman, y compris chez les Palestiniens, pourrait mettre en péril » ? Et il concluait que le moment était venu d'agir sur le « nœud du conflit israélo-arabe, à savoir le problème palestinien ».

Nul n'est en droit de prétendre, pas même les partisans inconditionnels du nouveau Sud, que l'accord ne comporte aucun aspect positif. L'identité palestinienne intrinsèque, produit du conflit arabe avec Israël, se trouve, pour la première fois dans l'histoire, dotée d'un « noyau de patrimoine », en terre palestinienne même, qui, s'il (et c'est un grand si) doit évoluer, s'étendre à l'ensemble de la Cisjordanie au fur et à mesure que s'établit une authentique reconnaissance mutuelle entre Israéliens et Palestiniens, pourrait éventuellement déboucher sur les aspirations palestiniennes, même celles dont la réalisation paraît aujourd'hui impensable. Reste, bien sûr, à trouver des solutions mutuellement acceptables aux problèmes de Jérusalem, des colonies juives de peuplement, des relations du « patrimoine palestinien » avec l'ensemble de ses voisins. Mais c'est le scénario contraire qui doit retenir davantage notre attention à ce moment particulièrement périlleux, ne serait-ce que pour le conjurer : celui où la terre palestinienne « libérée » deviendrait le lieu privilégié d'une guerre fratricide palestinienne, où l'Armée de libération palestinienne se verrait assignée, en lieu et place des forces d'occupation israéliennes, la tâche kafkaïenne de réprimer dans la violence la contestation palestinienne !

Il est plus que significatif, à cet égard, que la négociation clandestine en Norvège entre représentants de l'OLP et du gouvernement israélien ait duré des mois, ait exigé quelque quatorze séances à l'insu de toutes les parties concernées (avec, peut-être, l'exception de Washington, à moins qu'il ne s'agisse que d'une assertion d'après coup).

Il ne s'agirait donc pas seulement de remédier à un vice dans le mécanisme même de la négociation. Je me souviens, il y a moins d'un an, avoir dit à Shimon Pérès, au cours d'une rencontre-débat au Caire : « Comment pouvez-vous espérer qu'un jour les Arabes renoncent à voir dans le sionisme un racisme justificateur d'actes d'agression à leur égard, et l'admettent en tant qu'idéologie légitime du peuple juif, quand vous persistez à ne pas reconnaître l'OLP comme représentant légitime des Palestiniens ? » Il me répondit : « Arafat est un menteur, avec qui on ne traitera jamais ! » Or, à la lumière des révélations récentes, l'accusation semble se tourner contre celui qui la proférait !

On est alors tenté de s'interroger : ne faut-il pas voir dans les pourparlers d'Oslo la préfiguration des rapports futurs entre la centrale palestinienne et le parti travailliste israélien ? Des rapports qui pourraient être encore soudés par l'hostilité que leur vouent déjà leurs oppositions intérieures mutuelles, et où la survie de chacune des formations pourrait très bien dépendre de celle de l'autre !

On a connu d'autres cas de négociations secrètes israélo-arabes où, en dépit des antagonismes, le secret avait été scrupuleusement tenu, même quand il n'aboutissait à rien. Dans le cas d'aujourd'hui, il s'agit d'une volte-face totale, d'un mouvement de pendule qui, éventuellement, pourrait emmener d'un extrême à l'autre. Syriens, Libanais et Jordaniens sont donc au moins fondés à se demander si l'OLP, en vue d'accéder à une négociation directe avec le gouvernement israélien, n'a pas déjà subordonné cet objectif au maintien d'un minimum de coordination interarabe.

On est, par conséquent, à un tournant crucial où les choses ne seront plus jamais ce qu'elles ont été, où sortir du cercle vicieux est possible, mais où la situation peut encore dégénérer dans un chaos total. Personne ne peut plus rester neutre et indifférent. Chacun doit contribuer à la consolidation des facteurs de stabilisation. Le jeu est ouvert, l'aboutissement est imprévisible. Car il ne s'agit pas seulement du Proche-Orient, mais, comme pour la Bosnie, de la problématique même de ce que l'après-guerre froide doit devenir.

*Lundi 6 septembre 1993*

## Proche-Orient : éloge de l'humilité

Par Ghassan Salamé*

Les causes peuvent parfois être exaltantes, les compromis sont souvent d'une affligeante banalité. Israéliens et Palestiniens ont fait bien plus que de commencer à s'entendre : ils apprennent à être modestes. C'est qu'à l'heure où la mappemonde se remplit de taches de sang de la Bosnie jusqu'au Tadjikistan, le Proche-Orient est amené à faire preuve d'humilité, à ne plus se draper de ses magnifiques habits rituels, ceux des prophètes, des patriarches et des sanhédrins. La Palestine n'est plus la seule terre promise, mais aussi le Kosovo, le Haut-Karabakh ou la Transylvanie ; les juifs ne sont plus seuls à exhiber leur fonction autoproclamée de « peuple élu », tant le nationa-

---

* Directeur de recherche au CNRS, Centre d'études et de recherches internationales, Paris. Professeur à l'IEP.

lisme délirant de ces temps leur crée de rivaux ; les musulmans, du cœur de leurs plaies ouvertes, ne peuvent plus faire croire à personne, et sans doute même pas à eux-mêmes, qu'ils constituent, comme leur prophète leur avait dit, « la meilleure des nations que les hommes ont pu avoir » ; les Palestiniens ne peuvent plus décemment se présenter comme la victime exclusive des injustices de ce monde. La paix au Proche-Orient devait nécessairement passer par sa banalisation. Finie l'ère des consciences déchirées, des poètes exaltés, des historiens du rêve, des utopistes adulés, des pionniers donnés en exemple, des prix Nobel de la paix et de littérature. Voici venu le temps des négociateurs anonymes, des politiciens calculateurs, des géographes sans panache, des économistes du court terme. Les guérilleros se muent en policiers et les kibboutzniks en marchands. On ne pouvait sortir le Levant de son cercle vicieux sans le désacraliser. Applaudissons tous cette mutation.

J'appris la nouvelle de l'accord d'Oslo alors que j'arpentais les villages du Chouf, une montagne libanaise où les miliciens druzes avaient il y a quelque dix étés opéré un beau nettoyage ethnique, envoyant des dizaines de milliers de chrétiens sur les routes de l'exil intérieur et de la désolation. Aujourd'hui, à Richmaya, les chrétiens reviennent reconstruire leurs maisons délabrées. Ailleurs, à Kfarqatra, les voisins druzes ont rendu à leurs propriétaires des maisons propres, repeintes, où ils avaient pris la peine de réparer le vieux réfrigérateur et d'arroser les glaïeuls devant la porte, indiquant une nette volonté de rentrer en convivialité avec un autre, perçu hier encore comme un ennemi ancestral. Et je me suis demandé si la vie en commun ici autant que l'entente d'Oslo ne présageaient pas d'un nouveau rôle pour le Levant : générer les haines bibliques entre les factions, et savoir, par la suite, les dépasser au nom du besoin de l'autre et des risques d'un tribalisme à fondation incestueuse. La routine de l'exogénéité l'emportant finalement sur la mythification de l'endogamie, le voisin revu comme un complément, mieux comme un salut, plutôt qu'une menace : on remélange les sangs après les avoir séparés, on réévalue le métissage, ou du moins le bon voisinage, après les avoir péremptoirement condamnés. Le Levant, maître séculaire en ostracisme, serait-il donc en train d'apprendre aux peuples du monde, aux Croates, Serbes, Arméniens et autres Soudanais que l'exclusion n'est qu'un moment de folie, une parenthèse d'adulation de soi au goût amer d'un lendemain de fête païenne ?

Le lendemain, j'interrogeais les Palestiniens de la délégation officielle sur Oslo. Ils ne cachaient rien car ils savaient peu. L'accord a bien été le fruit d'une diplomatie « douce » disent les euphémistes, « parallèle » selon les experts, « secrète » surenchérissent les kissingeriens. Ce qui s'est passé est relativement simple : l'architecture de Madrid était bonne pour amorcer un processus, non pour le fertiliser ; des deux côtés, l'impatience montait et la tentation était grande de doubler la négociation formelle sans pour autant la détruire. On s'y est employé, sous les regards incrédules du parrain américain. En visite début août dans la région, Warren Christopher ne souffle mot de l'accord en gestation, ni à Assad, ni à Hussein, ni aux Libanais, non pas tant par souci de protéger l'accord, mais parce qu'il n'y croyait pas encore. Lui, l'avocat légaliste, ne voulait croire qu'en la négociation formelle, des deux côtés d'une longue table rectangulaire, entourée de murs nus et ennuyeux, au cinquième étage du département d'Etat, un des immeubles les moins attrayants de Washington. Et puis, c'était Pérès qui essayait sa énième tentative d'accord alors qu'à Washington, le soutien à la personne de Rabin est une véritable religion : ce que faisait l'un, le second pouvait le défaire et Washington était un partisan inconditionnel du Premier ministre. Enfin, la bande à Ross, qui avait imaginé Madrid, ne voulait pas reconnaître l'évidence : la délégation palestinienne « construite » de toutes pièces pour la faire accepter par Shamir n'avait que la substance que l'OLP voulait bien y mettre. Longtemps, à Washington, on a imaginé, contre toute logique, que Husseini, Ashrawi ou Ereiqat pouvaient ne plus être les envoyés de facto de l'OLP pour en devenir les héritiers de jure. Beau rêve de diplomates qui se prennent à penser que les politiques, même en keffieh, sont, après tout, inutiles.

Oslo a mis fin à ces élucubrations. On savait depuis un moment que sans les Palestiniens, il n'y avait pas de solution. On y a reconnu que sans l'OLP, il n'y avait guère de Palestiniens et que sans Arafat il n'y avait pas d'OLP. Cette logique de réduction au profit du sexagénaire de Tunis, tous les observateurs avertis l'avaient opérée depuis belle lurette. Les Israéliens tardaient à en faire autant et il faudra longtemps reprocher aux Américains de ne l'avoir pas vu, et encore moins suggéré aux Israéliens. Ceux-ci y parviendront par leurs propres moyens, au bout de dix-huit mois de rencontres aussi polies qu'infructueuses à Foggy Bottom. Contrairement aux engagements de Madrid, le parrain américain n'aura guère joué, sur ce point capital, son rôle de *driving force* et on avait même l'impression que les Etats-Unis étaient encore moins disposés qu'Israël à reconnaître l'OLP. Quelques jours avant Oslo, des chercheurs du Jaffee Center, en Israël, reprochaient vertement à l'administration Clinton sa trop grande complaisance à l'égard de leur propre pays, une façon comme une autre de dire à Washington qu'une amitié sans conditions pouvait nuire. Reconnaissons cependant que le parrain américain qui, pendant près de vingt ans, avait tout fait pour exclure Russes, Français, Scandinaves et autres onusiens des affaires du Levant, affaires qu'il voulait jalousement, exclusivement, maladivement siennes, a été prompt à reconnaître l'accord d'Oslo, tel un enfant né hors mariage que l'on s'empresse d'adopter le jour où il se révèle bien plus prometteur que les enfants légitimes.

L'accord, il faudra dorénavant le protéger contre ses victimes : tous ceux qui font du refus moins une religion qu'un fonds de commerce et ils sont nombreux, de tous les côtés. Pour cela, il faut d'abord de l'argent. C'est dans un Gaza misérable qu'Arafat rentrera bientôt et il est crucial qu'il n'arrive pas les mains vides dans ce bout de terre où s'entassent près d'un million de miséreux, où le taux réel de chômage dépasse les 60 %. En Cisjordanie, les choses sont à peine plus supportables. Ceux qui ont si généreusement financé la toujours contestable croisade pour Koweït (une facture en centaines de milliards de dollars) doivent être fermement invités à financer la paix, finalement moins chère, et éthiquement bien plus honorable. Le plus beau des projets de paix peut se briser sur le rocher de la misère et du désespoir, et il en va encore plus pour cet accord qui offre bien peu aux Palestiniens tout en leur arrachant des pans entiers de leur rêve légitime, et qui, de surcroît, les introduit dans un purgatoire intérimaire de cinq ans où ils devront pouvoir continuer à penser à leur Etat sans pouvoir exiger trop bruyamment son avènement.

D'où l'intérêt crucial à préserver la nature évolutive de l'accord. La force de cet accord, autant que sa fragilité, vient précisément de sa nature intérimaire. Rien n'y est définitivement conclu, tout y reste possible. Tout, cela veut dire la paix et la coopération, autant que la guerre et les récriminations. Tout, cela veut dire la lettre de ce qui y est écrit, autant que les éventualités qu'il laisse présager, et qui sont plurielles. L'accord en acquiert une valeur pédagogique, en ce que les deux adversaires vont devoir apprendre à s'accepter, à se parler, à coexister, à se quereller, à s'entendre avant de consommer un accord définitif. Ces fiançailles peuvent être utiles, surtout pour des Israéliens soucieux de dépasser leurs propres craintes, leurs obsessions profondes et d'oublier tous les mauvais rêves qu'ils se sont racontés à eux-mêmes pour se faire peur et rester la main sur la gâchette. Ce test quinquennal, des Israéliens peuvent donc vouloir le rendre définitif. Ce serait une erreur fatale, un rêve étouffé dans l'œuf et l'accord aujourd'hui acclamé se transformera en une nouvelle source de conflit. Puisqu'ils sont, et de loin, les plus forts, et puisqu'ils ne concèdent pas encore l'essentiel, les Israéliens doivent, au contraire, savoir entretenir l'espoir d'une autodétermination entière des Palestiniens, accepter à tout le moins que leur intégration dans la région ne saurait passer par une minorisation politique permanente des Palestiniens.

On protégera ensuite cet accord en le dupliquant sur les autres parties arabes concernées : Syriens, Jordaniens et Libanais doivent avoir, très vite, la possibilité de négocier une déclaration d'intention, et, pourquoi pas, un accord global avec Israël et développer ainsi un intérêt sérieux, sinon un soutien inconditionnel, pour l'accord qui aura été auparavant signé par les Palestiniens. Sur ces trois fronts, les considérations de bon sens paraissent plus utiles que les grandes déclarations de principe. Les résolutions des Nations unies (organisation qui, au vu de l'emprise américaine sur son Conseil de sécurité, ne devrait plus susciter d'urticaires en Israël) sont relativement claires et probablement incontournables : retrait total contre paix totale. Une brèche devient urgente sur ces trois fronts à la fois, si l'on veut préserver l'accord d'Oslo et engager de véritables négociations multilatérales sur l'avenir de la région en matière de limitation des armes, de développement économique, de rapatriement des réfugiés, d'eau et d'environnement, en bref, les cinq thèmes choisis à Madrid et dont l'étude traînait en longueur en attendant l'ombre d'un progrès dans les négociations bilatérales.

La protection de cet accord passe enfin par un *deal* avec les islamistes. Si les gars de Netanyahu se préparent, sans trop y croire, à faire capoter l'accord, du côté arabe, la menace vient, bien entendu, de la nébuleuse islamiste, qui ronge la crédibilité de tous les pouvoirs en place, y compris celui d'Arafat. Depuis Madrid, les Etats-Unis ont cru bien faire en protégeant le processus contre deux critiques bien vocaux : Saddam Hussein et le colonel de Tripoli. Tous les deux ont été handicapés par des sanctions très lourdes qui limitent grandement leur capacité de nuisance, et Washington est fier d'avoir pu éliminer ces prédateurs de l'équation levantine. Peut-être cela fut-il utile, mais les adversaires de ce genre d'accord se conjuguent en d'autres syntaxes, et principalement la religieuse. Et du Maroc au Pakistan, ils ont, peu ou prou, déjà condamné « la trahison ».

Leur condamnation n'est pourtant pas sans appel. Elle est plus principielle que politique, et cela est de bonne guerre. A lire la condamnation de l'accord par Hamas, on se prend à rêver de voir le Likoud utiliser des termes aussi mesurés. C'est que l'on pourrait sans doute obtenir la neutralité embarrassée des islamistes quant à l'accord si seulement on leur proposait en retour un début de reconnaissance politique. En Egypte, en Algérie ou ailleurs, l'ostracisme dont sont frappés les courants islamistes n'avait d'égal que celui qu'Israël appliquait contre l'OLP. Il paraît donc urgent que la reconnaissance de cette dernière par son adversaire s'accompagne, dans chaque pays arabe, de la reconnaissance de la mouvance islamiste par les pouvoirs en place, prix à son acceptation du compromis sur le chapitre palestinien. La consécration de la binationalité sur la terre de Palestine ne peut qu'être renforcée par l'introduction du pluralisme politique dans les pays de la région, en termes pratiques, la légalisation des partis politiques, même ceux de coloration religieuse. Les deux processus devraient aller de pair, se renforcer mutuellement, et introduire de ce fait une ère nouvelle, celle des légitimités nationales et politiques fondées sur le pluralisme.

L'accord pourra être signé à Washington comme avant lui les accords de Camp David, mais il ne faut pas trop se fier à cette logique du lieu. En entamant le processus par une reconnaissance mutuelle, Israéliens et Palestiniens font triompher une vision de la paix bien plus européenne qu'américaine. Au cours des années passées, cette reconnaissance était inlassablement posée comme précondition par la France et quelques autres Européens (Scandinaves notamment) et constamment ignorée par la diplomatie américaine. Les Américains peuvent donc jouer aux grands prêtres de la paix, ils n'auront pas su suffisamment l'imaginer, ni y consacrer la vigueur toute martiale qui fut hier la leur pour faire échec à l'Irak au Koweït. Ils paraissent du coup moins habilités à continuer de gérer d'une main exclusive qui, on le voit, n'était guère une main de maître, un processus qu'ils imaginaient autrement. C'est pourquoi, à l'heure où une véritable percée est faite dans la carapace de ce conflit, il est important que les Européens ne se contentent guère du rôle du financier de la paix comme ils s'étaient hier résignés à un rôle de second, voire de troisième couteau, de la guerre du Golfe à la conférence de Madrid. A eux de contribuer au triomphe du droit, de l'équité, de l'égalité des peuples, du droit à la souveraineté pour les petits autant que pour les puissants. Ce sont là des thèmes qui paraissent secondaires outre-Atlantique, ils doivent être au cœur des préoccupations européennes.

*Mardi 7 septembre 1993*

## Gaza-Jéricho d'abord : les raisons d'Israël

Par Alain Dieckhoff *

En concluant en Norvège cet accord intérimaire, Israël a franchi une ligne rouge puisque les négociations ont eu lieu directement avec des représentants de l'OLP, et non plus seulement avec des Palestiniens de l'intérieur (même si ceux-ci ne faisaient pas mystère de leur allégeance à l'OLP). Ce fait est en soi de la plus haute importance puisque, pour la première fois, l'Etat hébreu accepte officiellement la légitimité de la centrale palestinienne, naguère vilipendée pour son indéracinable terrorisme. Bien entendu, cette reconnaissance implicite, même si sa manifestation publique a été soudaine, est le fruit d'un processus graduel

* Chercheur au Centre d'études et de recherches internationales, Paris. Dernier ouvrage paru : *l'Invention d'une nation. Israël et la modernité politique*, Gallimard, 1993.

qui a été rendu possible par la double évolution de l'OLP et d'Israël. La première a progressivement, au cours des années 1980, opté majoritairement pour une démarche diplomatique sous la contrainte des transformations du système international (disparition du parrain soviétique), régional (montée en puissance des pays arabes pro-Occidentaux) et des modifications de la scène palestinienne elle-même (rééquilibrage au profit des Palestiniens de l'intérieur à la faveur de l'Intifada, crise financière et institutionnelle). Israël, pour sa part, a connu ces dernières années une maturation politique, plus discrète, mais incontestable : qu'il suffise de penser qu'il y a tout juste dix ans, Ariel Sharon avait cru pouvoir, en envahissant le Liban au cours de l'été 1982, définitivement briser l'OLP ! Le changement d'attitude d'Israël est donc notable et atteste de la prise en compte du fait palestinien comme réalité politique incontournable.

Les diverses méthodes imaginées par Israël pour nier l'évidence palestinienne se sont en effet toutes révélées illusoires ou impraticables. La tentative de l'administration Begin pour « résoudre le problème palestinien » (les ligues de villages encadrées par quelques notables ruraux de Cisjordanie) s'est rapidement soldée par un échec. L'option jordanienne, chère pendant longtemps au parti travailliste, et consistant à trouver un arrangement avec le roi Hussein dans le cadre d'une hypothétique confédération, n'a guère été plus heureuse. Elle eut pourtant son heure de gloire en 1986 lorsque Shimon Pérès, alors ministre des Affaires étrangères, conclut avec le roi de Jordanie un accord secret — déjà ! — qui n'obtint pas l'aval du Premier ministre, Yitzhak Shamir. L'Intifada, déclenchée en décembre 1987, puis la rupture des liens administratifs et légaux entre le royaume hachémite et la Cisjordanie devaient définitivement enterrer cette option. Restaient les Palestiniens de l'intérieur, supposés plus souples que leurs compatriotes de l'extérieur, avec lesquels, grâce aux talents diplomatiques de James Baker, Israël consentit à ouvrir des discussions dans le cadre du processus de Madrid. Bien que les négociateurs palestiniens aient accepté, pour prix de leur participation, les conditions restrictives dictées par Israël, il apparut de plus en plus clairement que la délégation officielle coordonnait toutes ses activités avec la direction de l'OLP à Tunis. Ce faux-semblant, commode à l'origine pour le Likoud parce qu'il permettait de désamorcer la mobilisation de l'extrême droite israélienne, devenait progressivement, pour le nouveau pouvoir travailliste, un handicap parce qu'en multipliant les intermédiaires, il freinait les contacts diplomatiques. D'où l'inévitable conclusion : mieux vaut désormais trouver un terrain d'entente directement avec l'OLP plutôt que de s'évertuer à la contourner sans succès.

Choix réaliste, sans doute, mais qui n'aurait pas pu être fait s'il n'y avait pas eu de changement de majorité en Israël en juin 1992. La victoire des travaillistes, en mettant un terme à l'immobilisme légendaire de Shamir, donnait en effet un contenu concret aux négociations puisque le parti de Rabin s'était déclaré en faveur d'un compromis territorial en Cisjordanie et à Gaza. Même si la rétrocession territoriale envisagée n'était que partielle, et même si elle s'en tenait au cadre strict de l'autonomie, elle offrait néanmoins une base tangible de discussion, certes en deçà des attentes palestiniennes mais bien au-delà des propositions minimalistes du Likoud. Tout en refusant la création d'un Etat pour les Palestiniens, le parti travailliste avait néanmoins reconnu leurs droits nationaux, manifestant par là même qu'il prenait définitivement acte de l'existence du fait national palestinien. On était désormais loin de la rhétorique chère à Golda Meir déclarant péremptoirement que les Palestiniens n'existaient pas. Cette maturation du parti qui avait porté la lutte pour l'indépendance de l'Etat juif reflète les transformations de la société israélienne. Certes, l'OLP reste pour l'Israélien moyen associée à un passé de sang et de larmes et continue d'éveiller la suspicion. Pourtant, l'Intifada a fait comprendre à beaucoup que le *statu quo* n'était plus tenable et, qu'à terme, il fallait d'une façon ou d'une autre donner une satisfaction, au moins partielle, aux revendications palestiniennes. Le succès électoral de Rabin l'an dernier a été la traduction tangible de cette évolution vers le réalisme politique et a aussi, a contrario, marqué le reflux de l'idéologie nationaliste du Grand Israël qui avait dominé le pays durant les années 80. Ce recul est incontestablement une bonne chose pour la paix et permet d'envisager avec une relative sérénité les développements à venir. Certes, tous les partis d'opposition ameuteront le ban et l'arrière-ban de leurs troupes pour combattre le projet « Gaza-Jéricho » qu'ils considèrent comme une mutilation insupportable du territoire national. Ils pourront en particulier compter sur la mobilisation du lobby des colons qui encadre les 120 000 juifs des territoires occupés et qui est fermement décidé à faire capoter la politique de conciliation actuelle. Une minorité active, regroupée dans certaines implantations autour d'Hébron et de Naplouse, et regroupant environ 7000 personnes, sera même prête à recourir à la force des armes. Le gouvernement devra donc s'attendre à être non seulement critiqué dans l'enceinte de la Knesset et conspué dans des manifestations — ce qui est parfaitement légitime en démocratie — mais d'être aussi fortement contesté par des moyens moins légaux. La mobilisation des opposants n'est pourtant pas l'indice de leur force mais le signe de leur désarroi. Même si leur sécurité personnelle continuera à être assurée par Tsahal, on imagine mal, par exemple, les 5000 juifs de Gaza demeurer sur place, une fois le territoire évacué par l'armée israélienne et administré par un conseil palestinien. Cela, les colons, soutenus par la droite, le savent pertinemment et leur activisme défensif vise à retarder l'inéluctable : la séparation entre les deux peuples, clef de la paix. Dans cette tâche, le gouvernement de Rabin a un allié de taille dans la lassitude incontestable d'une grande partie de l'opinion publique, fatiguée par les tensions permanentes. Même si le processus actuel ne peut aucunement prémunir contre les excès de tous bords, il offre néanmoins une alternative raisonnable de sortir de l'interminable face-à-face israélo-palestinien. La voie qui s'ouvre aujourd'hui est celle d'un compromis pragmatique fondé, à terme, sur l'autodétermination des deux peuples, elle ne peut pas déboucher sur une solution fondée sur la justice absolue. Celle-ci est en effet *impossible* à réaliser dans un conflit où les positions de départ des uns et des autres sont si contradictoires et les enjeux tellement aigus. Une telle confrontation entre communautés nationales sûres de leur bon droit ne peut connaître que des dénouements. Longtemps ceux-ci furent violents. Espérons qu'aujourd'hui, ils puissent être plus heureux.

*Mercredi 8 septembre*

## Paix et tabous

Par Bernard Cohen *

Le paysage même de la bande de Gaza hurlait depuis des années son refus de l'occupation militaire israélienne. Je me rappelle avoir pris le premier autobus régulier Tel-Aviv-Le Caire, un oiseau rouge et blanc qui voulait annoncer un peu trop vite (1982) un rapprochement isréalo-arabe, et malgré cet espoir automobile Khan Yunis était une ville au visage fermé, pour toujours. Une autre fois, le maire palestinien de Gaza, Rashad Shawa, dans le salon cossu de sa maison surveillée nuit et jour par l'armée israélienne, essayait d'oublier en fixant la petite cuillère dorée de sa tasse à café qu'il était pris dans un jeu impossible de chantages à l'exportation d'agrumes entre la Jordanie et Israël. Et puis, il y avait

---

* Journaliste à *Libération*.

eu l'expulsion des colons ultras de Yamit, entre larmes, hélicoptères tournoyants et fous rires en voyant des rabbins américains pâlichons donner des leçons de judaïsme aux jeunes soldats bruns de Tsahal venus les éjecter.

Ces images reviennent à la lumière du pas décisif que se sont enfin décidés à accomplir les ennemis. Même si tout cela sent un peu trop la raison d'Etat, même si les morts inutiles de l'invasion du Liban et de l'Intifada crient encore sur la pierre nue, le chemin est ouvert. Pour ceux qui pendant si longtemps ont défendu dans le désert les valeurs chatoyantes de la proximité judéo-arabe, qui ont gardé le goût de la fraternité malgré la haine orchestrée par des *yechivas* obscurantistes de Brooklyn ou des régimes arabes faillis, la blessure de l'exil fait aujourd'hui un peu moins mal. Mais il s'impose aussi désormais, à chacun, un devoir de retour sur soi, d'examen de conscience à la manière biblique, c'est-à-dire non pour battre sa coulpe mais pour aller de l'avant.

Durant des années et des années, des professionnels du judaïsme diasporique ont été faucons parmi les faucons, plus royalistes que le « roi d'Israël » que nous n'aurions jamais dû avoir puisque la Torah explique très bien que l'apparition de la royauté dans l'histoire du peuple d'Israël fut une manière de punition divine. Durant des années, des présidents de consistoire et autres rabbins estampillés par l'Etat, qui n'avaient jamais vu un Palestinien en chair et en os, mis à part peut-être le garçon d'étage du Hilton de Jérusalem où ils allaient papoter et déguster l'insipide nourriture « *glad-kascher* » israélienne qui a repris ce qu'il y a de pire dans l'alimentation anglo-saxonne, ont certifié, pontifié, homélisé, que tout accord était impossible et impensable avec l'OLP. Maintenant que ce tabou a été levé par la direction israélienne, ils vont sans doute se plier au nouveau credo. Mais pour tout juif qui se respecte, qui est donc « amant de la paix » mais pas pour autant disposé à se faire marcher dessus, ces propagateurs de la guerre par procuration sont disqualifiés à jamais. S'ils sont assez dignes pour rendre d'eux-mêmes leur tablier d'une cuisine aussi triste que leur haine, tant mieux. Sinon, puissent les juifs du monde entier se rappeler qu'ils n'ont jamais eu besoin d'être « représentés », et qu'un ancien de la communauté se discrédite à jamais s'il prononce à contre-sens le mot « impossible ».

A Gaza et à Jéricho, un tabou est en train de disparaître. Récemment, le « président » des juifs d'Allemagne déplorait que le tabou du nazisme ne soit plus respecté dans ce pays : mais pourquoi le nazisme devrait-il être tabou ? Ne sacralise-t-on pas ainsi une entreprise de haine dont le caractère extrême, absolu, ne doit pas masquer les dangers concrets et actuels de la xénophobie européenne ? En invoquant sans cesse l'Holocauste, les dignitaires autoproclamés du judaïsme, les juifs de cour à Paris et à Washington, n'ont-ils pas renoncé à leurs responsabilités immédiates, n'ont-ils pas voulu arrêter l'histoire alors qu'elle se poursuit aujourd'hui, et comment, au Moyen-Orient ? La Lituanie, Etat que le Conseil de l'Europe juge satisfaire à tous les critères démocratiques possibles et imaginables, a tout bonnement refusé ses visas aux « ressortissants de pays musulmans » durant la visite de la papamobile et de son occupant en invoquant des raisons de sécurité, et personne, chez les pères la morale, ne semble s'être indigné de ce racisme d'Etat. Les matamores diasporiques qui se croyaient très forts en comparant Arafat à Hitler ont participé au brouillage des valeurs humanistes dont pâtit aujourd'hui l'Occident.

Mais que tombent les tabous, toujours plus : les enfants d'Abraham, de l'homme qui entra dans l'atelier paternel pour briser les idoles, ne pourront jamais s'en plaindre.

*Jeudi 9 septembre 1993*

## Menace mortelle pour la sécurité d'Israël

Par Benjamin Netanyahu *

La promesse séduisante d'une paix rapide et facile est un anesthésique puissant pour émousser les sens d'un peuple en guerre. Tous les Israéliens aspirent à la paix.

La plupart d'entre eux approuveraient l'accord de Camp David, selon lequel Israël conserve le contrôle de la zone stratégique de Cisjordanie tandis que les Arabes, dans leurs villes et leurs villages, dirigent leurs propres affaires dans des domaines tels que la santé, l'éducation et le commerce. Cela donnerait la sécurité à Israël et « l'autonomie » aux Palestiniens. Il paraît que c'est ce que propose le marché conclu entre Arafat et Rabin.

Hélas, ce n'est pas le cas ! Derrière le mot « autonomie », que beaucoup d'Israéliens

---

* Chef du Likoud.

acceptent, le gouvernement d'Israël dissimule un arrangement qui mène à la création d'un Etat de l'Organisation de libération de la Palestine sur les fragiles frontières israéliennes d'avant 1967 ; et cela, la grande majorité des Israéliens le refuse.

On nous dit que cet accord ne concerne « dans un premier temps que Gaza et Jéricho ». Mais l'accent est mis sur le « dans un premier temps ». Dans neuf mois, Israël se retirera de toutes les villes de Cisjordanie. Et peu après, il transfèrera à l'OLP tout le reste de cette zone à l'exception de Jérusalem et des implantations (à peine 5 % du territoire), bien qu'il soit évident que ces îlots israéliens dans la mer de l'OLP ne dureront pas longtemps.

Le plan envisage donc ainsi un contrôle de l'OLP sur tout le territoire libéré par un retour à la frontière d'avant 1967 — qui passe à seize kilomètres de Tel-Aviv et trois de Jérusalem.

Sans doute Israël sera-t-il chargé de la sécurité dans les zones évacuées ? Pas du tout.

Selon l'accord, l'armée israélienne sera responsable de la sécurité « extérieure » (c'est-à-dire de la défense des frontières d'Israël), tandis que l'OLP prendra en charge la sécurité « intérieure » de toutes les zones sous son contrôle.

Que se passera-t-il quand des terroristes attaqueront des Israéliens à Jérusalem et rentreront ensuite sur le territoire de l'OLP ? Ou lorsqu'ils tireront des roquettes depuis les hauteurs qui dominent Tel-Aviv ? L'armée israélienne n'aura pas le droit de pénétrer sur ce territoire et de les poursuivre. Il s'agira, qu'on le croie ou pas, de la responsabilité « intérieure » de Yasser Arafat.

De façon surprenante, cette proposition bizarre qui risque de recréer des sanctuaires terroristes « à la libanaise » à proximité des villes d'Israël a été négociée sans consultation sérieuse du commandement militaire israélien. Le chef d'état-major adjoint, Amnon Shahak, n'a découvert le plan que quelques minutes avant qu'il ne soit présenté au gouvernement pour approbation. Le chef d'état-major, Ehud Barak, reconnaît que ce projet pose de « graves problèmes de sécurité » pour Israël.

Le plus grave danger inhérent au plan Arafat-Rabin, en ce qui concerne la survie d'Israël, n'est toutefois pas le terrorisme mais la nouvelle et véritable guerre qui pourrait être déclenchée depuis le domaine de l'OLP après qu'il aura été reconnu comme un Etat arabe.

En fait, la création d'un tel Etat est induite par l'acceptation israélienne de confier à l'OLP ce territoire et toute l'autorité législative le concernant. Comme l'a déclaré Yasser Arafat, « l'Etat palestinien est imminent et le drapeau de la Palestine flottera bientôt sur Jérusalem ».

C'est une menace mortelle pour Israël. Un Etat de l'OLP sur la rive occidentale du Jourdain chassera l'Etat juif du mur défensif crucial constitué par les monts de Judée et de Samarie, conquis en 1967 pendant la guerre des Six Jours, et recréera un pays de seize kilomètres de large, ouvert à l'invasion.

Un tel but est celui de l'OLP depuis juin 1974, date à laquelle elle a adopté le fameux « plan en plusieurs phases », afin d'éliminer Israël en deux étapes. L'article 2 prévoit la création d'un Etat palestinien sur chaque territoire évacué par Israël ; l'article 8 suggère d'utiliser cet Etat pour permettre une attaque arabe contre un Etat juif tronqué. Depuis deux décennies, Yasser Arafat a peaufiné ce plan. Mercredi dernier, il répondait ainsi aux critiques arabes de son accord avec Yitzhak Rabin : « C'est le plan que nous avons adopté en 1974. Pourquoi devrions-nous le refuser aujourd'hui ? »

Le fait que certains Arabes s'opposent à ce plan est un don du ciel pour Yasser Arafat. Cela lui permet d'apparaître comme un « modéré » face aux « extrémistes » tels que les fondamentalistes de Hamas. Mais le représentant de l'OLP en Arabie Saoudite, Rafiq Natshe, a expliqué il y a peu : « Hamas veut libérer toute la Palestine d'un coup, du Jourdain jusqu'à la mer. L'OLP pense qu'un plan par étapes est préférable. Mais les deux parties sont d'accord sur l'objectif à atteindre. Elles ne divergent que sur le moyen d'y parvenir ».

Un peu plus tôt dans ce siècle, Neville Chamberlain avait cru acheter « la paix pour notre temps » en abandonnant une partie de la Tchécoslovaquie à Hitler, qui avait promis d'échanger un territoire contre la paix. Sur son lit de mort, Chamberlain déclara : « tout aurait été parfait si Hitler ne m'avait pas menti ».

Le gouvernement Rabin joue désormais la sécurité d'Israël sur les promesses de Yasser Arafat. Mais ses promesses sont sans valeur. Il n'a respecté aucun des engagements politiques qu'il a pris dans le passé.

Depuis la rupture de 1988 et la promesse de mettre fin au terrorisme, sa propre faction au sein de l'OLP, le Fatah, a déclenché plus d'attaques terroristes contre Israël que n'importe quel autre groupe palestinien. De la même façon, il a « reconnu » Israël à plusieurs reprises afin d'obtenir des avantages politiques — et a repris sa parole ensuite.

Un Etat de l'OLP armé menaçant les villes d'Israël et submergé par le retour des « réfugiés » (un million pour commencer, dit l'OLP) est une lointaine caricature d'un compromis responsable qui aurait garanti la sécurité d'Israël et donné l'autonomie aux Arabes. Au lieu de donner une chance à la paix, c'est à coup sûr une tension accrue, du terrorisme à venir et, à la fin des fins, la guerre.



*Jeudi 9 septembre 1993*

## Sémantique de la haine

Par Malek Chebel *

A l'égard du juif en général et de l'Israélien en particulier, nous avons été, nous, Arabes nés entre 1950 et 1970, élevés dans une sémantique de la haine. Mais qu'est-ce qu'un juif pour un Arabe ? Quel est son statut dans la conscience islamique et arabe ? Ceux que nous appelons en arabe *al-Yaoud* ou, plus rarement, *Banou Israïl*, littéralement « les fils d'Israël », partagent avec les Arabes une histoire quatre fois millénaire. C'est le couple vivant qui a la cohabitation la plus ancienne, puisque déjà, au temps d'Abraham, on parlait de lui comme d'une démultiplication du même rameau originel, celui des Sémites.

Jusqu'à l'avènement de l'islam, les juifs ont toujours habité la péninsule arabique où

---

* Anthropologue. Dernier ouvrage paru : *l'Imaginaire arabo-musulman*, PUF, 1993.

ils détenaient souvent une position sociale enviable. Au début, les *Banou Israïl* bénéficièrent d'un excellent statut dans le Coran qui, s'adressant à eux dans la sourate al-Baqara, leur dit : « O fils d'Israël ! Souvenez-vous des bienfaits dont je vous ai comblés. Je vous ai préférés à tout le monde » (II,47/Mas). Jérusalem étant même, pendant deux années consécutives (622-624), la première Quibla des musulmans, le lieu vers lequel ils s'orientent pour prier Allah. Mais l'histoire immédiatement convulsive de la prédication mohamédienne allait vite mettre fin à cette idylle. Dix versets de la Vulgate traitent positivement le peuple juif, cinquante lui sont défavorables. Les rapports entre juifs et musulmans se sont détériorés à partir du jour où, émigrant à Médine, le Prophète s'est trouvé dans une meilleure posture pour combattre les Qoraïchites — la tribu qui gouvernait La Mecque — et les opposants juifs de Médine. Les tribus juives les plus puissantes et les plus anciennes, Qaynouqa, Qourayza, Banou an-Nadhir, sont expropriées et expulsées hors du territoire de l'islam.

Depuis, juifs et chrétiens, récipiendaires heureux d'un monothéisme authentique, ont connu le statut de la *dhimma*. Un statut légal qui maintenait sous tutelle les « gens du Livre » (juifs et chrétiens), mais aussi sabéens et zoroastriens qui, tout en habitant le domaine de l'islam, n'observaient pas les lois du prophète Mohamed : « Combattez-les jusqu'à ce qu'ils payent directement le tribut en signe d'humilité », énonce sans ambages le Coran. Contre un impôt de capitation (*jiziya*) versé directement au Trésor public de l'Etat islamique, ces peuples reçoivent protection et garantie (*himaya*) de leur sécurité physique et morale. Ils disposent de la liberté totale d'exercer leur culte, dans la mesure où celui-ci n'entre pas en rivalité avec l'islam et ne relève pas de l'hérétisme. Bien qu'ils soient soumis aux lois publiques de la communauté, notamment dans les domaines du négoce et de la vie sociale, les *dhimmis* ne peuvent accéder au pouvoir politique. L'affaire dure quatorze siècles pour ces relations de défi, et de fascination rentrée entre juifs et musulmans, entre juifs et Arabes. Jusqu'à ce que les pogroms en Europe centrale incitent Théodore Herzl (1860-1904), inventeur du sionisme, à chercher une patrie aux juifs. A partir de 1912, les Arabes commencent à découvrir les Israéliens lorsque Lord Balfour lance l'idée de l'installation d'un « foyer juif » en Palestine. Durant cette nouvelle période les Arabes n'ont-ils jamais cru à d'autre solution que la confrontation ? Certainement pas. Mais la méconnaissance totale dans laquelle était le plus grand nombre de la réalité de la guerre entre les principaux protagonistes empêchait les Arabes d'adopter une autre attitude que celle du rejet affirmé, sans jamais mener pour autant jusqu'à la shoah, cet épouvantable privilège de l'Allemagne nazie.

En 1948, la guerre provoque le premier exode des Palestiniens. Et c'est la première grande déchirure physique dans le maillage socio-ethnique complexe de la région. Depuis, de Cisjordanie en Jordanie, de Jordanie au Liban, du Liban en Syrie et en Egypte, et de là dans tous les pays arabes, les Palestiniens essuient toutes les avanies de la situation d'exil. On ne voit plus en eux que les nouveaux *dhimmis* des Israéliens, parfois ceux des Arabes : sans patrie, sans passeport, ils sont les « sans-chemin ». La contrition des pays hôtes achève de donner à leur drame un air d'opéra mal achevé. Parallèlement, mais silencieusement, les Palestiniens sont peu à peu marginalisés par leurs puissants voisins qui poussent souvent l'arrogance jusqu'à s'ériger en tuteurs désintéressés.

Mais voilà : les Palestiniens gardent leur sang-froid et persévèrent dans la voie taoïste du juste milieu. Le pourront-ils avec tous les impondérables qui aujourd'hui entravent leur envol ? C'est une autre question.

En attendant, que révèle toute cette histoire ? Elle révèle que les gouvernants arabes ont longtemps nourri à l'égard de l'Israélien comme une fausse haine, une sorte de haine déplacée. Mais surtout, que ces dirigeants ont su jouer de l'idéologie qui émousse le sens critique et de la pensée magique qui l'érode soigneusement. Ils ont ainsi réinventé à l'égard des Israéliens contemporains le système, juif dans sa version mythologique ancienne, du bouc émissaire. Pour que ce système fonctionne, il faut que l'objet de haine soit suffisamment proche pour être clairement identifié, et suffisamment éloigné pour être renié avec bonne conscience. Il faut alors oser une formule à propos de l'imaginaire contrasté des autocrates arabes d'aujourd'hui : c'est pour ne pas détester ouvertement les autres Arabes que l'Arabe déteste le juif.

De ce point de vue, alors qu'au plan international, la guerre du Golfe n'a été qu'une tartufferie, elle a eu pour vertu au niveau régional de lever le tabou de la haine des

Arabes pour eux-mêmes. Le sioniste n'était plus à Haïfa ou à Tel-Aviv : il était fiché au cœur même des champs de pétrole du Golfe, dans ce golfe dit « Persique », quelque part entre Yanbou, Koweït-City et Riyad. Mais surtout, l'Arabe se révélait dans son immense diversité. Désemparé, il découvrait la méconnaissance complète qu'il avait de ses prétendus frères. Au Proche-Orient d'abord, où l'Egypte, moyennant beaucoup de dollars, devenait la tête de pont de l'opposition à l'Irak, alors qu'elle avait toujours été le centre nerveux de la diplomatie arabe, au temps glorieux de l'agonisante Ligue du même nom. Au Maghreb ensuite, où un gouffre de quelques milliers d'années séparait les uns — ceux que l'on taxait volontiers d'« enturbannés » (les Arabes du Golfe) — et les autres, les Maghrébins, que l'on tenait — insulte suprême — pour « demi-Français » (les Algériens) ou Berbères (lisez Barbares). Dans les ambassades et les salles de rédaction du Golfe, de vieux clichés ressortirent : « leur » arabe, celui des autres, n'est qu'un sabir impossible à déchiffrer, ils n'ont qu'un moignon de culture et leur religion laisse encore à désirer.

Ainsi la guerre du Golfe a fait sauter bien des refoulements, élargi en quelque sorte l'assiette des amnésies, en dévoilant au passage les querelles intestines entre les dirigeants politiques qui se comportèrent avec l'élégance que l'on sait, le 10 août 1990, à l'occasion du fameux déjeuner du sommet de conciliation improvisé au Caire par la Ligue arabe. De « nation arabe » à la manière du rêve nassérien, plus question !

Mais, dans le même temps, l'indignation grondait partout. Les peuples, longtemps restés sans voix, descendent dans la rue et les Frères musulmans exultent : ils sont confortés dans leur lutte contre l'Occident impie qui commence dans les palais présidentiels des capitales arabes et s'incarne dans les enseignes des grandes compagnies pétrolières qui, au nom de concessions arrachées à des pouvoirs impopulaires et peu férus de démocratie, engrangent de fructueux bénéfices.

En réalité, dans ce remue-ménage, c'est un arbre généalogique qui tremble. Vient alors au jour cette terrible question :« Qui est Arabe et qui ne l'est pas ? »

Et, au fait... Les chrétiens maronites qui ont été le fer de lance de l'édition arabe, à Beyrouth, pendant un demi-siècle, sont-ils arabes aux yeux des montagnards du Hadramaout ou du Dhofar ? Les Maghrébins qui parlent berbère ou un arabe local sans prétention sont-ils Arabes aux yeux des Bédouins de l'Euphrate ? Et les Soudanais de Khartoum, le sont-ils vraiment aux yeux d'un beur de Sarcelles ? En fait, poser la question identitaire, c'est poser une question communautaire, arabe et musulman se confondant si bien dans le subconscient des gens que seuls les Turcs, les Persans et les Africains (des musulmans non arabes) perçoivent cela comme une anomalie. Or, la réalité ne réside pas dans les chiffres — « 5/6e des musulmans ne sont pas arabes » —, mais dans la mobilisation et l'activisme de minorités religieuses ou ethniques peu sensibles au verdict des chiffres.

Voyez : bien que l'Iran soit en difficulté, les chiites, qui ne sont qu'une minorité – au plus 10 % des 800 millions de musulmans – initient le nouveau vocabulaire musulman. Ils « satanisent » à tour de bras : Bush et son Amérique, ou Rushdie. Ils imposent aux femmes leur nouvelle tenue islamique (tchador). Ils glosent sur la légitimité et l'illégitimité des Saoudiens comme protecteurs de la Terre Sainte de l'islam et financent les mouvements islamistes dans le monde. C'est également une minorité, celle des Alaouites de Hafez al-Assad, qui établit pour tous les Syriens les protocoles collectifs de pensée et d'action. Ailleurs, dans la patrie mère du monde arabe, l'Egypte, les Coptes tiennent, en dépit de la méfiance ou de la jalousie qu'ils suscitent chez leurs concitoyens, une bonne partie des finances, de la diplomatie (ainsi, leur brillant héraut Boutros Boutros-Ghali) et de la politique.

Quarante ans et une guerre du Golfe plus tard, force est donc de constater qu'Israël, qui était, pour utiliser un vocabulaire du magistère religieux, la *fitna* (la « sédition », la « perversion ») par excellence, a finalement fonctionné comme un sérum de vérité. L'intrus s'est révélé un antidote puissant : en grattant l'écorce de l'Arabe, il a trouvé le Koweïtien, le Qatari, l'Irakien, le Kurde, etc. Ailleurs, on appelle cela une « catharsis ». Elle a permis aux plus pragmatiques parmi leurs *zaïmes* (leaders) de se positionner moins à l'endroit que le leur suggèrent tant de rêves avortés, que là même où passe la bissectrice entre leurs velléités militaires et leurs allégeances aux puissants parrains de l'extérieur.

D'ailleurs, le procédé de diabolisation qui entoura l'« entité sioniste » — il était interdit de nommer Israël sur la quasi-totalité des radios arabes jusqu'au début des années 80 — était plus virulent à mesure que l'on s'éloignait de l'épicentre du conflit, qu'il soit diplomatique ou militaire. A la méconnaissance mutuelle entre les belligérants s'ajoutait sa part de déréalisation et de désinformation. Etrange retour des choses : à regarder de près les reportages télévisés de ces derniers jours, on se rend compte qu'un phénomène semblable existe chez les Israéliens, et surtout chez ceux qui n'ont jamais rencontré un Arabe.

Pour conclure, une première question : que vont faire les gouvernants arabes maintenant qu'ils n'ont plus leur ennemi historique pour masquer leur incurie ? Et une seconde : quel sera désormais celui des Israéliens, et comment géreront-ils leur besoin d'altérité, alors qu'une importante fraction d'entre eux continue de prôner la haine de l'Arabe comme philosophie de gouvernement ? Maintenant qu'ils acceptent de dialoguer avec le Palestinien, arriveront-ils à aimer l'Arabe ?

*Vendredi 10 septembre 1993*

## L'OLP a cessé d'être

Par Mahmoud Darwish *

*[Ce texte est tiré de l'intervention par laquelle Mahmoud Darwish, fin août 1993, annonça qu'il démissionnait du Comité central de l'OLP.]*

«J'aimerais, tout d'abord, exprimer mon vif désagrément quant au tumulte qui a accompagné l'annonce de ma démission de cet auguste comité, et à la liberté donnée à ces interminables commentaires, dont certains ont porté atteinte à mon honneur patriotique et personnel.

J'ai gardé le silence pour ne pas envenimer les attaques contre l'image finissante de l'Organisation véhiculées par l'information. J'ai gardé le silence de crainte que mes propos ne contribuent à aggraver la confusion

---

* Poète palestinien. De Mahmoud Darwish, ont notamment été publiés en français : *Plus rares sont les roses*, traduit de l'arabe par Abdellatif Laâbi, Minuit, 1989, et *Poèmes palestiniens ; Chronique de la tristesse ordinaire*, traduit de l'arabe par Olivier Carré, Cerf, 1989.

que vit notre peuple palestinien à ce moment de transition entre ce qui était hier et ce qui sera demain.

Vous me connaissez fort bien. Vous savez que mes motivations, depuis l'instant où j'ai été contraint de rejoindre cette instance jusqu'à ce que j'en notifie ma sortie, ont été des motivations désintéressées. Vous savez aussi que cette tension qui oppose en moi la fonction intellectuelle à la fonction officielle ne date pas d'hier. Depuis le début, je ne souhaitais pas être ici. Depuis le début, je savais, et vous saviez aussi, que ma présence n'était que symbolique.

(...) Il nous était difficile, dans notre action patriotique globale, de poser clairement les frontières entre le culturel et le politique : la fécondité du projet nous propulsait à un niveau où la littérature nous apparaissait comme un luxe, vers une extrémité où nous révoquions la notion de spécialité. Nous étions continuellement obligés d'ajourner les questions objectives et notre intime questionnement sur l'unité et la disparité des niveaux de l'action. Pour ma part, je me plaignais sans cesse du primat tyrannique de l'action politique sur l'activité créatrice dans la conscience du commandement qui classait tout dans le même registre...

(...) Vous êtes en droit de me demander : “Pourquoi maintenant... Pourquoi juste aujourd’hui ?”

J’entends, au nombre des accusations toutes faites : “N’est-ce pas là fuir le bateau ?”

Je répondrai aussitôt : “Parfois... je ne vois plus le bateau. En ce moment, je ne vois plus le bateau si l’on entend par lui l’Organisation de libération de la Palestine. Car regardez-la bien ! Ses entreprises, ses services, ses bureaux sont au chômage, vendus aux enchères publiques...”

Ce serait un crime d’occulter le facteur objectif de la crise que nous vivons. Ce serait aussi prétention d’en négliger le facteur subjectif. Je ne demande rien de plus que de gérer correctement l’échéance, dans le respect des gens, de leur dignité humaine. Nous avons conduit deux générations à la mort dans la poursuite de la paix et de l’indépendance. Et voici qu’aujourd’hui nous semblons les avoir totalement délaissées, jetées aux quatre vents d’une nouvelle incertitude.

Non, les martyrs n’étaient pas des sots comme l’affirment certains esprits amers. Les martyrs avaient raison. Ils ont fait à la patrie la juste aumône de leur sang. Mais nous autres, leurs débiteurs, nous qui, à toutes les questions touchant l'avenir de leurs fils, n'offrons aucune réponse ?...

Descendons un peu de l'écran, miroir de notre image, pour nous glisser au rang des spectateurs. Levons à nouveau nos yeux vers ce lieu où certains d'entre nous continuent de jouer leur rôle. Que voyons-nous ?

Pas de bateau...

Mais seulement ceci : le capitaine de ce bateau dans un plan aquatique, poussé par une force obscure vers un destin inconnu enfoui sous la mer. Sur le rivage, par milliers, les fils des martyrs lui disent de la main : "Attends-nous... Emmène-nous avec toi !"

(...) Nous distinguons aussi l'image du proche, très proche avenir, celui qui frappe aux portes de cette salle, surgi d'un présent ruiné, émietté, d'un présent qui nous a fuis depuis peu.

Que faisons-nous ici ? Nous saluons d'un adieu anarchique une période de l'Histoire pour entrer dans une autre à laquelle nous ne sommes pas encore préparés. Telle est la question qui nous poursuit : « Quelles sont les traits de cette image ? Quels en sont les contours ? Quelle est la forme organisationnelle qui lui sied ? »

Je vais vous choquer. Cette organisation, avec sa structure, son ossature, ses cadres.... et sans doute son contenu, cette organisation a cessé d'être... Oui, cessé d'être ! Vous devez le reconnaître et vous déterminer en conséquence, mettre en œuvre toutes les ressources de votre imagination pour voir ce qui lui succédera, cultiver le fruit né de son sein, qu'aucuns d'entre nous la pleurent ou que d'autres se réjouissent de sa fin.

Cette organisation a cessé d'être, que vous meniez le règlement politique jusqu'à son terme ou que vous vous retiriez dès maintenant.

Le dernier rôle de cette organisation est de signer l'accord avec Israël. Sitôt signé, elle deviendra autre chose. Quelle sera cette "autre chose" ? Pensez-y dès maintenant. Pensez au destin des cadres debout dans la tourmente.

(...) Nous abordons à la hâte une grave décision au sujet d'un accord imminent avec le gouvernement israélien, sur Gaza et Jéricho. Mais quand, quand va-t-on étudier la question ?

D'aucuns diront : "Israël ne veut pas conserver Gaza. Livrer Gaza aux mains des Palestiniens, c'est une solution au problème d'Israël, qui tient à ceux, insolubles, de

Gaza, nés de l'Intifada, et à l'incapacité d'intégrer, propre à Israël, par souci accru de préserver son essence juive".

D'aucuns diront encore : "L'accord israélo-palestinien va lever l'obstacle qui bloque le train de la paix israélo-arabe ; l'accord va apaiser le feu de la lutte israélo-arabe, diviser la question palestinienne et le peuple palestinien..."

Tout ceci est vrai, mais nous ne pouvons pour autant affirmer que Gaza et Jéricho ne nous intéressent pas. Que ce projet nous promette une autonomie totale ou une indépendance tronquée, nous devons prendre notre temps pour étudier le marché proposé, afin de ne pas nous précipiter dans le vent, nous aventurer. Nous devons examiner point par point les questions de fond et de détail avant de nous lancer dans cette entreprise. J'ajoute que cette étude devra nécessairement inclure tous les fractions et courants du peuple palestinien sans exception.

Avons-nous obtenu une réponse à de multiples questions telles que :

— Le marché proposé est-il partie d'un accord de paix globale ou requiert-il de nous la signature d'un traité de paix, d'un compromis historique ?

— Apparaît-il clairement que ce marché est une première phase de l'application de la résolution 242, en fonction d'un calendrier précis, lié à des échéances précises et dans la reconnaissance que cette terre est une terre occupée ?

— Qui va gérer cette autonomie expérimentale à Gaza et Jéricho ? L'Organisation de libération de la Palestine dont le rôle sera désormais caduc ? Le conseil élu ?

— L'Organisation y entrera-t-elle, ou bien son président en tant qu'il la préside... ou comme président de quelque chose d'autre ?

— Quel sera le terme de la phase transitoire d'observation ? L'autonomie, après un essai concluant et le succès à l'examen ? Et en cas d'échec ? Permettez-moi ici de vous avertir que tant notre situation présente que notre constitution actuelle apportent une réponse négative à la question !

— Y a-t-il un point de passage clairement défini entre les phases transitoire et finale nous assurant que la phase transitoire ne sera pas définitive ?

— La base populaire est-elle prête à se lancer dans cette expérience, ou bien porteuse de terribles germes d'explosion ?

— Pouvons-nous ignorer les craintes réelles ou artificielles que manifestent "nos voisins” arabes vis-à-vis de cet accord avec “nos voisins” israéliens ?

— Quelles sont les garanties économiques internationales fondant les capacités de Gaza à vivre, à édifier son infrastructure et fournir les moyens de subsistance ?

— Quelles seront les formes d’expression du nationalisme admises dans la résistance à l’occupation israélienne qui perdurera sur le territoire concerné à travers la Sûreté, les implantations, les frontières, le droit de représentation étrangère, les aires de passage, les ponts et autres marques de la souveraineté israélienne ?

De telles questions me portent à croire que nous nous lançons dans un risque historique dont je souhaite l’heureuse issue mais dont je redoute l’échec et les effets nationalistes destructeurs. Il pourrait bien alors conduire à la catastrophe.

Ma conscience ne m’autorise pas à m’associer à cette décision aventureuse, incapable que je suis de répondre aux questions qui se posent. C’est pourquoi je maintiens ma démission du comité de délibération et me mets à la disposition du peuple palestinien et de ses intérêts nationaux supérieurs.

Pardonnez-moi si je vous dis que rien ne m’oblige à prendre part à ce risque. S’il est vrai que la lucidité dépasse souvent la simple vue, elle en a aujourd'hui le plus pressant besoin. Et je suis sûr que vous possédez l'une et l'autre ! »

Traduction : Philippe Vigreux


*Lundi 13 septembre 1993*

## Libérer les forces libérales

Par Youssef Chahine *

Le Caire, le 7 septembre 1993.

On ne peut qu'être satisfait qu'Israël ait compris qu'un accord avec les deux cents millions d'Arabes qui l'entourent était inévitable ; mais il faut prévoir aussi la violente réaction de tous ceux qui, par cet accord, seront démunis de leur raison d'être.

On ne peut qu'espérer... ou plutôt s'acharner à ce que la coopération des démocrates des deux bords soit un succès palpable et flagrant.

Un accord immédiat libérerait les forces libérales qui subissent encore le joug des dictatures et des féodaux qui, malheureusement, ont obtenu jusqu'à aujourd'hui le soutien inconditionnel de trop nombreux Etats occidentaux.

* Cinéaste égyptien.

C'est seulement par la libération de ces forces... par l'application des principes démocratiques que la région peut prospérer, s'enrichissant des différences au lieu de s'effriter, s'entre-déchirer mutuellement.

Une expérience ratée de plus ?... Ou plutôt une édifiante rencontre historique ? Le monde entier en a besoin, je vous le jure.

*Lundi 13 septembre 1993*

## Au-delà des rivières de sang

Par Amos Oz *

La guerre israélo-arabe dure maintenant depuis presque trois générations. Elle a débuté par des attaques sporadiques des Arabes contre les juifs qui revenaient dans leur patrie. Elle est ensuite entrée dans le cercle vicieux de la belligérance et s'est étendue de l'Iran à l'Afrique du Nord. Des dizaines de milliers d'Israéliens et plus de cent mille Arabes ont alors été tués ou estropiés.

Au début, ce n'était rien de plus qu'une dispute entre voisins, à coups de couteaux ou de revolver. Puis c'est devenu une guerre de chars, d'avions et de missiles balistiques. Pendant la guerre du Golfe, les moyens de destruction de masse ont fait craindre l'apo-

---

* Ecrivain israélien. Dernier livre publié en français : *la Troisième Sphère*, traduit de l'hébreu par Sylvie Cohen, Calmann-Lévy, 1993.

calypse. En même temps, cela redevenait une bagarre à coups de couteaux et de pierres.

Des fanatiques pleins de haine ont toujours essayé de transformer ce conflit en une guerre de religions, en une guerre de races, en une guerre entre chaque juif et chaque Arabe, comme le sont les guerres d'Irlande ou de Bosnie. Or le conflit entre les Palestiniens et nous-mêmes n'est pas une guerre sainte ; il s'agit de l'affrontement de deux peuples qui considèrent chacun ce pays comme leur seule et unique patrie, du tragique affrontement du droit contre le droit.

Depuis des décennies maintenant, nous avons proposé aux Arabes compromis sur compromis ; y compris des compromis beaucoup plus durs pour nous que celui qui vient d'être négocié. Mais l'ennemi a rejeté toutes nos propositions et a exigé en permanence que les juifs démantèlent leur Etat et s'en aillent. Nous avons payé cette attitude butée, cruelle, par des rivières de sang et des abîmes de souffrance.

La victoire israélienne de 1967 fut suivie de quelques années euphoriques, pendant lesquelles les gouvernements d'Israël refusèrent de reconnaître l'existence d'un peuple palestinien, en espérant que les Palestiniens allaient oublier leur identité nationale et abandonner à notre domination chaque parcelle du pays. Cette politique était à la fois immorale et irréaliste.

Nous sommes tous, désormais, à la croisée des chemins : les deux peuples se sont enfin mis d'accord sur le simple fait qu'il existe deux peuples et que cette terre est la patrie de chacun d'eux. Eux et nous — et la plus grande partie du monde arabe — sommes prêts à envisager une division du pays entre ses peuples.

Quelle division et à quelles conditions ? Cette question implique par elle-même un processus compliqué de négociation sur qui obtient quoi et combien, et dans quel délai, et sur la manière dont seront assurées la tranquillité et la sécurité d'Israël après qu'aura pris fin l'occupation de la Cisjordanie et de la bande de Gaza.

Tout cela doit être clarifié autour de la table des négociations et nécessite de la sagesse, de la patience et de la clairvoyance. Les Palestiniens vont obtenir des territoires là où nous n'obtiendrons que des documents et des promesses. Il est donc crucial qu'un délai soit prévu pour s'assurer que le chèque de paix arabe ne sera pas en bois.

Plusieurs années s'écouleront entre la signature de l'accord et la fin du retrait israélien. Pendant cette période, nous devrons conserver des positions susceptibles de nous permettre d'annuler le marché au cas où les Palestiniens ne voudraient pas ou ne seraient pas capables de remplir leurs engagements.

En 1947, l'assemblée générale des Nations unies s'était résolue à diviser le pays entre ses deux peuples selon un tracé géographique qu'aucun Israélien ne pourrait accepter aujourd'hui, et qu'aucun Palestinien raisonnable n'exigera. Cette résolution a donné son fondement juridique à la création d'Israël. La Palestine n'a pas vu le jour en 1947. C'est en partie dû au fait que les armées arabes de pays voisins ont occupé les territoires destinés à un Etat palestinien.

Aujourd'hui, à la fin des fins, les Palestiniens acceptent un compromis qui leur donne beaucoup moins que ce qu'ils auraient reçu dans la paix et l'honneur quarante-cinq ans, cinq guerres et des milliers de morts plus tôt — nos morts et les leurs.

Israël revient à ce qui a longtemps été l'une des principales composantes de l'attitude sioniste : la volonté de parvenir à un compromis éthique, réaliste, qui repose sur la reconnaissance du droit des Palestiniens à une patrie. Reconnaissance contre reconnaissance, sécurité contre sécurité et bon voisinage contre bon voisinage.

Qu'arrivera-t-il s'ils trichent ? Et que se passera-t-il s'ils prennent tout ce que nous leur donnons et réclament davantage, en ayant recours à la violence et à la terreur ? L'implantation qui est proposée aujourd'hui laisse à Israël la possibilité de cerner la Palestine et de ne pas appliquer l'accord.

Si le pire se produit, s'il devient clair que la paix n'est pas la paix, il sera toujours plus facile à Israël, sur le plan militaire, de briser les reins d'une entité palestinienne étroite et démilitarisée que de continuer à briser les reins d'enfants palestiniens de huit ans, qui jettent des pierres sur ses soldats. Les colombes israéliennes, plus que tous les autres Israéliens, devront adopter, une fois la paix venue, une attitude de « faucon » résolue en ce qui concerne le devoir du futur régime palestinien de remplir ses engagements de façon précise, dans la lettre et dans l'esprit.

Le plan qui vient d'être négocié — Gaza et Jericho d'abord — est une option modérée et raisonnable. Si les Palestiniens veulent conserver Gaza et Jéricho, et éventuellement exercer le pouvoir dans d'autres parties des territoires occupés, ils devront d'abord prouver à nous-mêmes, à eux-mêmes et au monde, qu'ils ont bien renoncé à la violence et à la terreur, qu'ils sont capables d'empêcher leurs propres fanatiques de nuire, qu'ils ont abandonné leur charte destructrice et qu'il n'est plus question de ce qu'ils appelaient le « droit au retour ».

Ils devront aussi montrer qu'ils sont prêts à tolérer au milieu d'eux une minorité d'Israéliens qui pourrait choisir de vivre là où il n'y aura pas de gouvernement israélien.

Israël, en ce qui le concerne, doit remplir les promesses des débuts du sionisme : devenir une source de bienfaits pour ses voisins, pour s'aider et les aider à briser le cercle vicieux de la souffrance, du désespoir et de la pauvreté, et se mettre en route vers la prospérité.

Le tragique affrontement du droit contre le droit au Proche-Orient est sur le point de prendre fin. Yasser Arafat et Yitzhak Rabin, Shimon Pérès et Fayçal Husseini vont se faire traiter de « traîtres » par quelques-uns de leurs compatriotes. Puissent-ils porter ce titre comme une décoration pour leur clairvoyance et leur courage. Winston Churchill, Charles De Gaulle, David Ben Gourion et Anouar el-Sadate appartiennent eux aussi à ce club honorable.

Nous devons nous rappeler que l'opposition israélienne n'est pas composée que de démagogues et de va-t-en guerre. Nombreux sont ceux parmi nos concitoyens qui craignent sincèrement que le ciel ne tombe sur leurs têtes et que leurs maisons et leur pays ne soient en danger de mort. Nous devons tenir compte de leurs sentiments avec compréhension et respect, aussi longtemps qu'ils s'exprimeront dans le respect de la loi.

D'un point de vue sioniste, il se peut que 1993 soit considérée à l'avenir comme la fin de nos cent ans de solitude sur la terre d'Israël. C'est peut-être la fin d'un prologue et le début de la véritable histoire d'Israël : celle d'un foyer sûr, stable et légitime pour le peuple juif et pour ses citoyens arabes, une source d'énergie créatrice et de bienfaits pour les voisins d'Israël — y compris les Palestiniens.

Traduction : Jean-Luc Pouthier


*Mardi 14 septembre 1993*

## Pourquoi Israël a parié sur l'OLP

Par Alain Dieckhoff *

Pourquoi le gouvernement israélien a-t-il spectaculairement reconnu l'OLP alors même que cette organisation traversait une crise financière et institutionnelle sans précédent ? Les bons sentiments étant fort rares en politique, la décision israélienne a sans doute été moins motivée par une brusque commisération pour les droits des Palestiniens que par une évaluation réaliste des rapports de force respectifs. Certes, l'existence d'un camp de la paix, bien organisé et favorable depuis des années à un dialogue avec l'OLP, a pu contribuer à créer un climat favorable et a pu constituer une incitation à forcer le destin. Les quatre ministres représentant cette tendance pacifiste (Meretz) n'ont pas ménagé leur énergie

* Chercheur au Centre d'études et de recherches internationales, Paris.

pour promouvoir des contacts directs avec les délégués de la centrale palestinienne (les rencontres, à l'étranger, s'étaient multipliées ces dernières années). A la Knesset, bien que minoritaires par rapport à la cinquantaine de députés favorables au Grand Israël, les « colombes » n'étaient pas démunies puisqu'elles pouvaient compter sur le soutien d'une bonne trentaine de députés (partis arabes + Meretz + gauche du parti travailliste). En dépit de sa force relative dans l'actuelle coalition gouvernementale, le camp de la paix qui, au demeurant, contrôle des portefeuilles ministériels techniques (communication, éducation...), aurait toutefois été incapable, à lui seul, d'imposer ses vues. Il fallait, pour cela, que les dirigeants travaillistes, qui, il y a peu encore, stigmatisaient l'OLP comme une organisation terroriste, soient convaincus que le dialogue avec l'OLP était désormais à la fois indispensable et opportun. Indispensable parce que les Palestiniens de l'intérieur, divisés et isolés par rapport à une base populaire très critique, n'étaient pas en mesure de s'engager à fond dans les négociations de Washington ouvertes il y a deux ans. Indispensable, aussi, parce qu'en laissant l'impasse diplomatique se prolonger, Israël risquait de se retrouver face à face avec un ennemi autrement plus redoutable : les militants islamistes du Djihad et du Hamas qui veulent détruire l'Etat d'Israël pour transformer toute la Palestine en république musulmane. L'ouverture de discussions avec l'OLP intervient aussi, pour le tandem Rabin-Pérès, à un moment propice parce que l'OLP est affaiblie, donc moins menaçante et plus conciliante. La droite israélienne a vigoureusement reproché au gouvernement d'avoir, en reconnaissant l'OLP, sauvé une organisation moribonde.

Et s'il fallait plutôt prendre les choses à l'envers ? Le gouvernement israélien n'aurait-il pas plutôt décidé de franchir le Rubicon justement parce que l'OLP était à la fois trop diminuée militairement et politiquement pour constituer un danger immédiat pour la sécurité d'Israël, mais encore suffisamment représentative pour imposer un règlement de compromis ? La reconnaissance serait dès lors fonctionnelle, l'OLP étant considérée comme le seul instrument politique capable de réaliser la disjonction entre Israël et les territoires occupés à laquelle le parti travailliste aspire aujourd'hui. Il y a bien entendu dans cette tâche, pour l'organisation palestinienne, un formidable défi. Si elle parvient à faire la preuve de sa capacité à administrer la population palestinienne et à éviter que ne se développe une anarchie déstabilisatrice (d'où le rôle clef de la police palestinienne), l'OLP pourra raisonnablement, après avoir mis en confiance Israël, espérer progresser vers son but affiché : la construction d'un Etat indépendant. Certes, Yitzhak Rabin a pris soin de répéter avant sa rencontre avec Yasser Arafat que la reconnaissance de l'OLP ne conduirait pas à la création d'un Etat palestinien. Toutefois, si l'OLP prouve sa capacité à diriger les affaires palestiniennes, rien ne pourra s'opposer à ce qu'elle obtienne bel et bien, à la fin de la période intérimaire, cet Etat tant convoité. Voilà pour le scénario optimiste. Son revers, moins plaisant, ne doit malheureusement pas être écarté car on peut légitimement se demander si l'OLP n'est pas déjà trop chétive et divisée pour s'imposer sur le terrain. Si après les retraits et redéploiements de l'armée israélienne, l'OLP se montrait incapable de juguler des opposants islamistes trop remuants qui harcèleraient les colonies juives ou lanceraient, à partir des zones autonomes de Gaza et de Jéricho, des opérations terroristes en Israël, l'expérience intérimaire risquerait de tourner court rapidement. Israël ne consentirait alors, au mieux, qu'à une autonomie permanente très encadrée et l'Etat palestinien resterait pour longtemps un rêve inaccessible.

Maintenant qu'une hypothèque majeure a été levée avec la reconnaissance mutuelle entre Israël et l'OLP, maintenant que les deux adversaires de la veille ont paraphé une déclaration de principe officielle, il est donc capital, pour la paix, que les accords intérimaires soient un succès. Un échec signifierait, en effet, une formidable régression qui interdirait pour longtemps tout espoir d'un règlement pacifique du contentieux israélo-palestinien.

*Jeudi 16 septembre 1993*

## L'accord au pied de la lettre

Par Thierry Ferraro *

Y-a-t-il une seule étymologie ou bien deux ? Sort-il du cœur ou de la corde ? Personne à coup sûr ne le sait. A l'origine donc tout accord est duel, et l'étymologie, aussi, nous rappelle qu'il n'y a d'accord qu'ambigu : une seule racine ou bien deux pour ce mot où vibrent à l'unisson et le cœur et la corde ? Peu importe, il reste qu'il y a coïncidence phonétique entre l'*accordare* et l'*acchordare*. Entre les hommes qui tombent d'accord et les violons qui s'accordent. Or, une telle coïncidence — puisque c'est ici le double sens qui fait sens — est d'ordre poétique et le premier accord que le mot signifie est celui de ses deux racines : un cœur entrelacé d'une corde. Comment mieux dire qu'il s'agit là de tisser un lien moral ?

---

* Professeur de Lettres classiques. Dernier ouvrage paru : *Flaubert*, Marabout, 1990.

Affaire de cœur, l'accord est donc également une affaire de courage, son doublet étymologique. Mais pour être sentimentales, il n'y a pas d'accordailles qui ne supposent un texte sur lequel concorder, et l'on songe alors pour le désigner à un autre mot de la famille : *credo*. Se mettre d'accord, c'est partager un *credo*, autrement dit avoir foi dans un même texte. De ces textes, on a vu récemment qu'ils peuvent n'être qu'une déclaration de principe et que des clauses peuvent en demeurer secrètes. Quelques sceptiques, ou simplement quelques curieux, s'en sont inquiétés. Rappelons-leur cette sage recommandation de Trévoux dans son *Dictionnaire universel* (Paris, 1771) : « Un accord doit se faire sans tant d'exactitude et de précaution. On le rend plus assuré ». Il n'y a d'accord, par nature, qui ne gage l'avenir et l'on conçoit qu'à trop le vouloir cerner on ferait preuve de pessimisme, invalidant *a priori* ce pari de meilleur sur le pire. Car comment échapper à l'image du mariage, à ces accordailles pour lesquelles « Il n'y a point de singulier ».

Retour à la dualité donc, et au duel fondateur. Mais non pas, cette fois, celui qui par la mort de l'autre est un retour à l'un. Avec l'accord, dont Furetière écrivait dans son

*Dictionnaire* (1684) qu'il « se dit figurément de l'union de deux personnes qui vivent ensemble », on remplace le sang par l'encre et le sacrifice par sa métaphore. Le texte paraphé n'est alors que l'acte par lequel ces « deux personnes » proclament isolément, c'est-à-dire sans l'unanimité qu'engendre la violence : aujourd'hui est l'origine !

Ainsi, l'accord effacerait le passé. Serait retour au point zéro. Facile à dire, mais comment faire ? Revenons à Trévoux, qui poursuit son article par une citation : « *Bellum finire cupienti*, dit un ancien, *opus erat decipi*. Il faut souvent se laisser tromper pour sortir d'affaire ». Laissons-lui la liberté de sa traduction. En fait d'affaire, il s'agit bien de guerre : *bellum*. Et de désir : *cupienti*. L'accord est la solution de qui désire finir la guerre, c'est son *opus*, en français : son œuvre. Et cette œuvre est tournure passive : être trompé. Après l'action, la passion. Ceux qui s'accordent risquent le martyre. Personne hélas n'en doute. On en revient au courage. Soit, mais qu'est-ce à dire que l'accord est tromperie consentie ? Pour s'accorder, il faudrait consentir à être trompé, autrement dit à se tromper ? Qu'est-ce, au contraire de l'accord, que la guerre sinon l'ivresse d'avoir raison ? On connaît ça par cœur.

Mais voici la guerre éradiquée. Nous voici célébrant l'accord de paix. Or, à l'oreille du sémanticien, cette expression-là est pléonasme. La racine indo-européenne à laquelle appartient la paix, *pak*, signifie, selon Ernoult et Meillet (*Dictionnaire étymologique de la langue latine*, 1932) : « Passer une convention entre deux parties belligérantes ». La paix ne dit rien d'autre que l'accord, mais le dit autrement : à l'inverse d'accordailles, le lexicographe C.-P. Richelet, au XVIIe siècle, notait à l'entrée « Paix » de son dictionnaire : « Tranquillité publique. Ce mot n'a pas de pluriel ». Avec l'accord de paix, on dit la fusion de deux en un. On comprendra que puisse faire horreur aux champions de la dualité cette singularité nouvelle qui désarme les duellistes.

Mais comment parvient-on à cet accord de paix ? Par ce paradoxe étymologique qu'est la négociation. La paix, en effet, ne dit radicalement que le pacte, « l'état de paix en résultant se disant plutôt *otium* », comme le souligne Alain Rey (*Dictionnaire étymologique de la langue française*, 1992). Or, la négociation est mot à mot la négation de cet *otium*. Ainsi la paix naît-elle d'une action qui se faisant nie ce qu'elle vise. S'étonnera-t-on dès lors que toute négociation soit tumultueuse et risque toujours d'attiser la guerre lasse qu'elle se propose d'éteindre ?

Il y avait à Rome un autel de la Paix, et un temple lui était consacré qu'avait commencé Claude et qui ne fut achevé par Vespasien qu'après la pacification de la Judée. Décidément une région clef. Il y avait aussi un temple de la Guerre, dont on verrouillait les portes à la paix retrouvée.

*Vendredi 17 septembre 1993*

## Les Palestiniens ont conquis un avenir

Par Hazem Saghiyé *

La tendance générale, chez les Arabes, lorsqu'ils parlent de l'avenir, est de manifester de l'inquiétude. La sérénité, en effet, est un sentiment qui ne se rapporte qu'au passé et l'inquiétude, en ce qui concerne l'avenir de la Palestine, commence dès que l'on s'interroge sur la décision israélienne. Selon cette ligne de réflexion, l'avenir dépend d'abord et fondamentalement de ce que va faire l'Etat hébreu ; ensuite vient, pour déterminer l'avenir de la Palestine, la décision de la communauté internationale.

Pour ma part, j'ai tendance à adopter un point de vue tout à fait opposé. Sans doute Israël et la communauté internationale jouent-ils un rôle important, il suffit pour s'en convaincre de songer aux conséquences

---

* Journaliste libanais, éditorialiste de *al-Hayat*.

qu'aurait par exemple le retour du Likoud au gouvernement à Tel-Aviv ou le refus du reste du monde de fournir une aide financière à cette nouvelle entité dont on peut considérer que Gaza et Jéricho constituent les prémices.

Ce que viennent de faire Yasser Arafat et son organisation montre que le peuple palestinien a commencé à prendre ses affaires en main et qu'il a arraché sa cause aux tactiques et aux surenchères arabes. Cette initiative est de bon augure à deux points de vue au moins :

— Nous pouvons désormais prendre comme point de départ l'existence d'une responsabilité palestinienne. Auparavant le Palestinien était héros, martyr, victime ou prétexte, mais sa responsabilité propre n'était qu'une hypothèse.

— Ensuite — et ceci peut ne pas plaire à la plupart des Arabes — l'idée du « complot », qui a longtemps servi pour expliquer l'histoire et la situation actuelle des Arabes, a cessé d'être un bon instrument d'analyse.

Je préfère — peut-être est-ce naïveté de ma part — me fonder sur l'hypothèse que les peuples ont la responsabilité de leur destin, que l'avenir de la Palestine dépend du peuple de Palestine. Cette responsabilité implique d'abord que l'on comprenne bien la signification de l'événement qui vient de se produire.

Nous parlons désormais de « l'avenir » de la Palestine, alors qu'il y a quelques jours encore nous ignorions s'il y avait même un présent palestinien, que le passé palestinien était l'objet d'une entreprise systématique de destruction, non seulement en Israël mais dans le monde entier, sans que les thrènes de la mémoire en pleurs y pussent quoi que ce fût.

Ce nouvel état des choses est riche de complexes potentialités. Le principe de la résolution par des voies pacifiques et des canaux diplomatiques des futurs différends avec Israël sera consacré : parce que le rapport de forces militaire restera en faveur d'Israël, et à cause de la nécessité de consolider la paix dans la région et de transformer le Moyen-Orient en terre de pluralisme et de coexistence.

Il faut donner à la paix un contenu plus large, qui aille au-delà des simples questions de sécurité pour couvrir tous les domaines de la vie.

Les Palestiniens devront réussir à bannir la violence dans leurs rapports mutuels. Cela commence par la mise à l'écart des conflits armés et cela se poursuivra par l'élaboration de formules positives : création d'une démocratie représentative, d'un véritable tissu social où se lieront les intérêts et les idées, où le groupe des plus forts n'opprimera pas celui des faibles. Certains appréhendent de voir l'OLP « liquider » Hamas sans se donner la peine de développer un discours idéologique suffisamment généreux pour absorber une grande part des intégristes.

Les dirigeants palestiniens devront permettre à la diaspora — avec ses capacités économiques, financières, professionnelles et culturelles — de prendre part à la décision politique et ils devront donner la même chance aux familles politiques traditionnelles qui n'ont pas quitté leurs régions d'origine et n'ont pu, par conséquent, se joindre à la lutte armée. Ce sont elles qui, réunies, peuvent donner à la politique palestinienne toute sa profondeur sociologique et rendre possible dès maintenant la démocratie ; ce sont elles qui permettront l'établissement et la consolidation d'une société civile et éviteront que ce processus ne prenne la forme d'une rupture révolutionnaire.

Privé du soutien de ces catégories sociales, le « pouvoir » à Gaza et Jéricho risquerait de se refermer sur lui-même, devenant une zone de dictature dominée par les militaires de la diaspora, qui n'ont jamais eu l'occasion d'apprendre ce qu'est une politique démocratique. En ce cas, c'est un avenir sombre qui nous attendrait, où personne ne contrôlerait personne, où l'on ne pourrait poser de questions à quiconque.

J'ai dit au début de cet article que je parlerais d'un aspect du problème, à savoir la responsabilité des Palestiniens ; pour ce qui est des autres aspects, je ne doute pas que les démocrates israéliens et occidentaux sauront les traiter beaucoup mieux que je ne pourrais le faire.

Traduction : Luc Barbulesco


*Mardi 21 septembre 1993*

## Israël-OLP : attendre et voir

Par Haim Herzog *

Il est trop tôt pour affirmer que nous traversons l'un des moments les plus importants de notre histoire. On peut, certes, parler d'opportunité majeure mais l'évolution des événements dépendra des négociations minutieuses qui suivront la déclaration de principes et la reconnaissance mutuelle entre Israël et l'OLP. Un immense espoir se mêle de doutes et d'incertitudes. L'accord peut mener à la paix, à l'essor économique et même à la naissance d'une confédération. Il peut aussi conduire à la tragédie.

Malgré leurs différends, malgré les effusions de sang, Israéliens et Palestiniens vivent côte à côte depuis maintenant vingt-six ans. Pendant ce quart de siècle, les contacts avec les leaders palestiniens qui ont

* Président d'Israël de 1983 à 1991.

émergé en Cisjordanie et à Gaza ont été fréquents. Et si les relations entre les deux peuples étaient officiellement hostiles, nombre de Palestiniens se sont intégrés librement dans la société israélienne. (...)

Mais personne ne peut oublier un passé — jalonné de morts et d'horreurs — placé sous le signe du terrorisme arabe et, particulièrement, de l'OLP. C'est pourquoi l'Israélien moyen est harcelé par une foule d'interrogations douloureuses. Qui, par exemple, contrôlera la politique d'immigration ? Alors qu'Israël conserve le contrôle absolu de la sécurité intérieure et des affaires étrangères dans des territoires qui, à terme, obtiendront leur autonomie, toute tentative, de la part des régions palestiniennes concernées, d'arguer du « droit au retour » pour rapatrier des centaines de milliers de réfugiés constituerait une source de conflit majeure. (...)

L'accord place la sécurité des colons israéliens (aucun d'eux ne sera délogé) et celle des citoyens israéliens qui se rendent dans les territoires sous l'entière responsabilité d'Israël. Comment cela va-t-il fonctionner ? Comment vont s'organiser, dans la pratique, les relations entre les forces de défense israéliennes, responsables de la région, et la police palestinienne locale ?

L'accord se mesurera avant tout à la capacité de l'OLP d'administrer les zones qui lui seront dévolues et de mettre un terme à l'Intifada. Mais Yasser Arafat saura-t-il surmonter sa faiblesse actuelle et imposer la stabilité pour se conformer à l'accord ?

La partie israélienne a fait preuve d'une grande imagination et d'un grand courage. Il en va de même, jusqu'à un certain point, de la partie palestinienne. Israël a mené ces négociations dans une position de force considérable, avec la plupart des cartes entre ses mains. Les Palestiniens, eux, les ont menées dans une position de faiblesse extrême. Si, comme le stipulent les principes de l'accord, la responsabilité de la sécurité revient en dernier ressort à Israël — si l'intervention de Tsahal demeure légitime en cas de situations menaçantes —, la pilule semblera moins amère aux Israéliens.

Si la proposition originelle avait concerné exclusivement Gaza, elle aurait rallié les suffrages de 80 à 90 % des Israéliens, y compris ceux qui sont hostiles aux thèses du gouvernement Rabin. Mais l'inclusion de l'enclave de Jéricho a considérablement limité l'adhésion populaire.

Pendant la Seconde Guerre mondiale, alors jeune officier de l'armée britannique, je suis entré dans le camp de concentration de Bergen-Belsen, en Allemagne, et j'y ai constaté les terribles atrocités que mon peuple a subies. Une quarantaine d'années plus tard, en tant que président de l'Etat d'Israël, je suis retourné à Bergen-Belsen lors d'une visite officielle en Allemagne et j'y ai rendu hommage aux victimes en compagnie du président Richard von Weizsäcker. Peut-être pourrions-nous un jour — qui sait ? — revivre cette même communion spirituelle historique.

Le gouvernement a fait le choix — périlleux s'il en est — d'une stratégie en apparence incompatible avec le sentiment partagé par la plupart des Israéliens, qui refusent d'accorder le moindre crédit à l'OLP. Mais le gouvernement table sur le fait que, puisque l'OLP a fait le serment d'abandonner le terrorisme et l'appel à la destruction de l'Etat d'Israël, elle est devenue un mouvement politique avec lequel il est désormais possible de négocier. C'est une décision risquée, basée sur une vision à long terme. Mais gouverner, n'est-ce pas aussi prévoir ?

Lorsque Menahem Begin a accepté de relever le défi du président Anouar el-Sadate, il a dû lui aussi essuyer un feu nourri de calomnies et d'attaques. Certains, y compris au sein de son propre parti, sont allés jusqu'à mettre son patriotisme en doute. (...) Pourtant, soutenu par l'opposition travailliste, Begin a campé sur ses positions. Résultat : depuis la signature, en 1979, du traité de paix entre Israël et l'Egypte, pas un seul soldat, qu'il soit israélien ou égyptien, n'a perdu la vie dans un conflit frontalier entre les deux pays.

Aujourd'hui, par la navette des autocars entre Tel-Aviv et Le Caire, des dizaines de milliers dc touristes israéliens affluent vers les stations touristiques du Sinaï et des rives du Nil.

Tel est l'espoir, certes à long terme, que beaucoup nourrissent à présent, tandis que les dirigeants israéliens traversent l'une des épreuves les plus cruciales depuis la création de l'Etat.

Car la route qui mène à la fin d'un siècle d'hostilité pourrait s'avérer longue et pavée d'embûches.



*Lundi 27 septembre 1993*

## Les interrogations d'un esprit dérangé

Par Sonallah Ibrahim *

Dans un de mes romans, paru en 1981 sous le titre *le Comité* — et dont la traduction française a été publiée l'année dernière —, le héros, qui se trouve pris dans des événements aux allures de cauchemar, aime à s'interroger, non sans naïveté, sur ce mystère par lequel « la carte suspendue au mur de la Knesset indique les frontières d'Israël telles que proposées par le sionisme, c'est-à-dire allant jusqu'à la rive orientale du Nil, alors que les Israéliens savent bien que ce sont leurs ancêtres qui construisirent les pyramides, lesquelles se trouvent sur la rive occidentale ».

Cela était une allusion directe à une déclaration qu'avait faite, au sujet du fameux monument pharaonique, Menahem

* Romancier égyptien.

Begin lors de sa première visite en Egypte, à la suite de l'accord de Camp David.

Je n'ai jamais eu, personnellement, d'objection à l'idée que les ancêtres polonais de Begin aient pu être les constructeurs des pyramides ; si cela s'avérait, rien n'en serait changé dans la situation d'aujourd'hui, outre que cela confirmerait l'unité culturelle des habitants de notre planète, et corroborerait la théorie qui veut que les anciens Egyptiens ont participé à la construction des pyramides mexicaines. Toutefois, cette question venait au milieu d'autres questions, non moins naïves, que mon narrateur à l'esprit quelque peu dérangé se posait à propos d'un certain nombre de phénomènes qui n'avaient, apparemment, aucun rapport les uns avec les autres : la forme de la bouteille de Coca-Cola, les élections présidentielles américaines, le fanatisme, la pollution de l'eau du robinet (dans notre pays en tout cas), les guerres auxquelles nous prenons part, et les traités que nous signons.

Et maintenant j'imagine ce même narrateur, mon héros, entendant parler de l'accord de « Gaza-Jéricho », hocher la tête stupidement et se demander avec la simplicité qui lui est coutumière : « Pourquoi impose-t-on à l'OLP de supprimer toute référence à la lutte armée contre l'Etat d'Israël, alors que personne n'exige d'Israël qu'il retire une carte qui indique des frontières s'étendant du Nil à l'Euphrate, et porte atteinte à la souveraineté de cinq Etats arabes ? »

Mon héros va plus loin encore, et il ajoute : « La Banque mondiale vient d'annoncer qu'à l'issue d'une étude menée sur la situation économique à Gaza et en Cisjordanie, elle estime les besoins en financement, pour le développement de la région, à quatre milliards de dollars ; quand donc la Banque mondiale a-t-elle entrepris cette étude, et qui la lui a demandée — puisqu'il ne s'agit pas là d'une institution charitable ? Par quels canaux ces milliards passeront-ils pour parvenir à destination ? »

Je ne voudrais pas qu'on voie dans ces remarques un désir de ma part de diminuer l'importance de « Gaza-Jéricho » et de tous les points positifs qu'il comporte : un territoire (même minuscule et divisé), le retour des exilés (ou du moins pour certains d'entre eux), un drapeau (flottant au-dessus d'une économie dépendante), un avenir (à la merci de toutes les vicissitudes) et la paix (menacée par mille périls).

Les accords sont conclus, puis ils sont dénoncés. L'Histoire moderne de l'Egypte offre à ce sujet plusieurs exemples. Ainsi Mustafa Nahhas, le « Chef de la nation », annonça-t-il en 1936, la conclusion d'un « traité d'honneur et d'indépendance » avec la Grande-Bretagne, traité au terme duquel les forces d'occupation furent transférées du Caire au canal de Suez. Quinze ans plus tard, le même Mustafa Nahhas, sous la pression populaire, dénonçait le traité ; cependant les Anglais restèrent là, et il faudrait encore, avant qu'ils ne quittent le pays et que l'Egypte ne devienne véritablement indépendante, cinq autres années, où l'on verrait le régime politique changer radicalement et survenir une violente opération militaire internationale — avec la participation d'Israël, comme par hasard.

Gaza-Jéricho... Et si c'était Gaza-Jérusalem ? Ou bien même l'Etat dessiné par le plan de partage des Nations unies en 1947 ? Y avait-il grande différence ? Guère, en fait, tant que le cadre général reste le même, c'est-à-dire : des régimes arabes en décomposition, des élites dirigeantes corrompues, une Banque mondiale à l'affût, des Etats occidentaux riches et féroces, des sociétés étrangères rapaces, des peuples accablés cherchant un refuge dans une crispation religieuse et passéiste, et un ordre mondial qui manque de justice.

Cela dit, le Mexique aussi boit du Coca-Cola et de l'eau polluée, possède d'immenses richesses naturelles, des élites corrompues et n'est pas moins exposé, à tout moment, aux prétentions de quelque combattant serbe qui, ivre de ses victoires en Bosnie et sur la foi de documents historiques, affirmera : « Ce sont mes ancêtres qui bâtirent les pyramides mexicaines ! »

Traduction : Luc Barbulesco


*Vendredi 8 octobre 1993*

## La poignée de main ou l'actualité programmée

Par Edgard Roskis *

Faste saison pour les poignées de main. On peut sans risque prédire que la prochaine aura lieu entre Nelson Mandela et Frederik De Klerk, à l'occasion de la remise de leur prix Nobel ex æquo [1]. Peut-être sera-t-elle injustement privée du qualificatif d'« historique ». Sans doute parce qu'elle ne sera pas la première entre les deux leaders, mais surtout à cause de l'éclipse durable provoquée par celle, imbattable, échangée entre Yitzhak Rabin et Yasser Arafat.

---

* Journaliste. Chargé de cours au département d'information-communication de Paris-X (Nanterre).

1 A noter que, pour *Télérama*, publication pourtant fort vigilante en matière d'images, elle a étrangement *déjà* eu lieu sous la légende « La poignée de main de l'espoir » : une photo d'archives (mais non signalée comme telle) montre les deux hommes se congratulant. Et cela dans une édition (20 octobre) qui titre sur... les illusions dangereuses des nouvelles images.

De toutes les simplifications passées et à venir, la poignée de main est certainement le cliché le plus usé du photojournalisme. Ainsi, une ou plusieurs épreuves, parmi la centaine déversée chaque jour sur les quotidiens du monde entier par le « fil » photo de l'AFP, montrent une poignée de main. Plus sûre dans l'ordre des incunables que les déraillements de train, accidents d'avion, naufrages de ferries bondés ou tremblements de terre (pas assez fréquents), les cadavres (trop aléatoires, trop choquants ou trop lassants), les retours de service ou les départs de Formule 1 (trop cyclothymiques), la poignée de main assure gentiment, sans exiger le paiement d'heures supplémentaires, une sorte de gardiennage permanent, pépère, somme toute syndical, de l'actualité quotidienne illustrée.

Conclue entre homologues (émissaires, chefs d'Etat, ministres, patrons) ou, mieux encore, entre frères ennemis, elle a rarement le caractère de spontanéité qu'on lui prête. Elle est toujours exécutée pour et à la demande des reporters d'images, et toujours refaite sur l'insistance de ceux, mauvais joueurs, qui s'estimaient mal placés, avaient oublié de charger leur appareil, ou de visser la bonne optique, ou de déclencher leur flash. De plus, les acteurs qui, pour les besoins du cadrage, font souvent face aux objectifs tout en se serrant la pince de profil, sont soumis à une contorsion surnaturelle, et certainement fort inconfortable.

Pourquoi tant de constance, tant d'obstination à perpétuer un rite visuel compassé à l'heure des images de synthèse et de la communication cyberspatiale ? C'est que, degré zéro du symbole photogénique, la poignée de main est inusable : elle marche à tous les coups, aussi sûrement que *Jurassic Park*, avec l'avantage de moyens rudimentaires. Limpide, monosémique et universelle, c'est une image littérale, que tout un chacun sait déchiffrer en deux mots : rencontre et accord.

Mais, et c'est là que tout se complique, accord à combien de pour cent ? Que la rencontre ait été « franche » (c'est-à-dire désastreuse) ou amicale, routinière ou importante, chargée d'animosité (Arafat/Hafez el Assad), de nuages (De Klerk/Mandela) ou affectée d'un coefficient d'harmonie carrément négatif, voire dénégatif (Chirac/Balladur, Rocard/Fabius), c'est à peu près le même geste qui en rendra compte. On ne peut certes pas demander à la photographie, qui peine déjà à traduire ce qui est, de révéler ce qui n'est pas dit, ni aux arrière-pensées d'impressionner les pellicules. Mais il faut alors admettre — pour s'en désoler — que l'archétype si primé de la poignée de main ne veut finalement, sur le plan sémantique s'entend, jamais rien dire : il ne renvoie ni au passé, ni évidemment à l'avenir, et, s'il montre l'apparente réalité du présent, il n'en exprime nullement la vérité.

On objectera à ce qui précède qu'y échappe la catégorie très courue, parce que plus rare, des poignées de main « historiques ». Ce qui leur confère ce caractère apprécié des commentateurs, c'est qu'elles ont lieu entre anciens ennemis, entre gens qui jusque-là se niaient, refusaient tout autre dialogue que celui des armes (Kissinger/Le Duc Tho, Sadate/Begin et, bien sûr, Rabin/Arafat). Dans ce type de rencontre, c'est moins le degré d'accord qui compte que la soudaine irruption d'une reconnaissance mutuelle, promesse d'une parole longtemps interdite. Il est indéniable que ces poignées-là concentrent alors fortement le symbole de cette reconnaissance pour en libérer en un bref instant, comme une décharge rédemptrice, l'émouvante vérité. (La vérité de cette reconnaissance et de rien d'autre : aujourd'hui, encore peu d'Egyptiens se rendent en Israël et il est douteux que Rabin ait subitement le béguin, si l'on peut dire, pour Arafat).

A considérer sous ce seul angle la poignée de main échangée le 13 septembre 1993 entre Yitzhak Rabin et Yasser Arafat, on manquerait pourtant l'essentiel. Sa préparation, sa chorégraphie minutieuse, sa conception sophistiquée la placent en effet, sur l'échelle de Richter du sens, bien au-dessus de toutes celles qui l'ont précédée.

Car, en y regardant à deux fois, on y trouvera en surimpression un deuxième symbole, véritable image dans l'image : la figure du Christ incarnée par un Bill Clinton les bras en croix, unissant dans la communion du pardon et de l'espoir un juif et un Arabe. Pure spéculation sémiologique ? Peut-être, si l'on ne considère cette fresque que du point de vue du public dont l'attention, accrue par le suspense du « serrera ? serrera pas ? », se concentre exclusivement sur le premier plan où se déroule l'action principale. Ce qui rend d'autant plus aisé l'aménagement subreptice d'un second plan quasi subliminal, mais capital du point de vue de Clinton : le principal pour lui, on l'admettra, est de toucher le dividende politique d'un événement qui ne lui doit à vrai dire pas grand-chose. Or, qui a orchestré la cérémonie sinon la Maison Blanche ?

Des six « positions de pool » (praticables dressés pour les deux cents photographes et télévisions assignés à places fixes), une seule ouvrait un angle frontal, validant, sur la poignée de main, et celui-ci obligeait à cadrer Clinton au centre, les bras dans la position qu'il avait lui-même choisie. Choisie, tout de même pas délibérément, pas machiavéliquement, protestera-t-on. C'est sous-estimer les ultimes développements de la tradition américaine, qui a toujours et d'abord pensé image. Le replay de la vidéo ne laisse pas d'équivoque : le président semble d'abord écarter les bras « naturellement », simplement pour rapprocher les deux protagonistes ; puis, s'oubliant un instant, il les replace le long du corps ; se souvenant *in extremis* de l'importance du geste crucial, il le réitère au moment décisif du *handshake*.

Le seul moyen de déjouer le piège était de jouer le gros plan. Option retenue par *Paris-Match*, *Libération* et *The Economist* qui a l'inconvénient, en gommant Clinton, d'éradiquer du même coup Rabin et Arafat. Ne subsistent alors que deux mains, l'une claire et l'autre foncée, sorte de membres Benetton [2] qui pourraient au fond appartenir à n'importe qui.

Suprême subtilité de ce dispositif imparable, Clinton avait invité — mais garés ou par terre — les anciens présidents et tous ceux, comme James Baker, qui avaient vraiment joué un rôle dans le processus de paix. Excellente stratégie de communication, joli *fair play*, mais d'apparat : le président en exercice avait conservé par-devers lui le contrôle absolu de la scène centrale. Celle où, derrière la poignée de main-hameçon, se jouait rien moins que la captation au profit de l'administration démocrate de toutes celles qui l'avaient permise, et notamment des dizaines de poignées de main auxquelles s'était exténué, au cours de huit tournées successives dans les capitales du Proche-Orient, le secrétaire d'Etat James Baker. Neutralisé par cette puissante mise en scène, il ne restait plus à celui-ci qu'à assister impuissant à l'appropriation par un autre de ses mérites.

---

2 Voir l'emploi, étonnant dans la manière d'Oliviero Toscani, qu'a récemment fait *le Monde* de ce cadrage pour une de ses affiches, sous le slogan « parce que *le Monde* donne du sens à l'information ». Pour un journal qui milite contre les clichés...

Dans cette hypothèse, on en conviendra vraisemblable, y compris le suspense « vont-ils le faire ? » était faux : compte tenu des enjeux, jamais la Maison Blanche n'aurait pris un tel risque scénographique sans la parole préalable de Rabin que oui, il serrerait, « puisqu'il le faut », la main d'Arafat. En ce sens, cette poignée de main est la mère de toutes les poignées de main (comme on dit la mère de toutes les batailles). Elle occulte toutes les autres, les engloutit définitivement. Elle est un pur chef-d'œuvre : plus forte, plus réaliste, moins soupçonnable qu'une image de synthèse, c'est une nouvelle « nouvelle image », renaissance moderne d'un registre suranné. Le parachèvement d'un genre inauguré durant la guerre du Golfe : l'aimable programmation anticipée de l'actualité.

*Vendredi 29 octobre 1993*

## Le « bouc émissaire » s'est révolté contre son sort

Par Emile Habibi *

Haïfa, le 16 septembre 1993.

Un de nos proverbes dit que « le Bédouin ne ferme pas l'œil tant qu'il reste un morceau de gâteau sous son oreiller ». Je pensais à ce dicton en voyant la jeunesse palestinienne des territoires occupés célébrer, par une fête qui ne voulait pas s'arrêter, cet accord historique passé entre dirigeants d'Israël et de la Palestine, Rabin et Arafat, à la Maison Blanche, en ce jour mémorable du 13 septembre. Il m'aura été donné d'être l'un des rares survivants de ma génération palestinienne — je suis né en 1922 — et l'un de ceux, plus rares encore — on peut les compter sur les doigts d'une seule main —, qui ont réussi à demeurer et à persévérer dans leur pays ; c'est ainsi que

* Ecrivain palestinien.

j'ai pu voir et vivre avec une intense participation l'explosion de cette immense joie populaire à Jérusalem, aussi bien chez les Palestiniens que les Israéliens, lorsqu'ils ont vu sur les grands écrans de télévision disposés sur les places de la ville sainte la cérémonie de l'accord et la poignée de main. Les jeunes Palestiniens, hommes et femmes, se sont mis à emplir les rues de Jérusalem et celles de toutes les villes et de tous les villages occupés, en brandissant des drapeaux palestiniens, sans que personne ne fût en état de mettre un frein à cette liesse.

Voici la friandise dont ce peuple patient ne peut plus maintenant oublier le goût et dont il ne peut plus se passer. Et, comme une annonce d'aube nouvelle, les manifestations de liesse populaire se poursuivent jour après jour sous des formes diverses. La paroi du barrage a été ébranlée et, par la brèche, se sont précipitées les eaux retenues pendant un demi-siècle.

Quelques Israéliens et Palestiniens s'obstinent à se mettre en travers de la cataracte, avant de céder et de crier : « Je me noie ! ». Certains Palestiniens, qui croient voir loin, mettent en garde les multitudes contre les risques d'une joie trop hâtive. « Qu'arrivera-t-il, demandent-ils, si cette joie est déçue ? »

Est-ce vraiment possible ?

Je crois que l'expérience de nos ancêtres n'a pas été, ni ne peut être, vaine ; cette expérience nous a été transmise par la langue et, en particulier, par les proverbes. Il existe un de ces proverbes, qui peut apporter une réponse à nos interrogations, c'est celui qui dit : « La cruche ne reste pas intacte à chaque fois ». En vérité, cet engagement des responsables dans cet accord historique — initiative plus audacieuse que toute la bravoure des fedayin — a acquis d'emblée une telle profondeur et une telle ampleur que les auteurs de ce geste ont compris que tout échec éventuel les jetterait dans la gueule du requin du refus qui attend d'eux le moindre faux pas, le moindre recul pour les avaler, « eux, leur filet et leur ligne », comme nous disons, nous autres pêcheurs, les avaler eux, leurs partis laïcs et leur avenir personnel et collectif. Par ce geste, par ce bond, nous avons franchi le Rubicon à la manière de Jules César et il n'y a plus de retour possible.

Assurément un bond de ce genre comporte un élément aléatoire mais on aurait tort de penser qu'il s'agit là d'un saut dans le vide. Si le fœtus sort à la vie en un seul et unique élan, la constitution progressive de cette nouvelle existence aura duré neuf mois. La lutte féroce pour la Palestine aura duré environ cent ans et c'est le peuple arabe palestinien qui en aura été, qui en demeure, la victime essentielle. La colonisation sioniste en Palestine ne diffère aucunement des autres entreprises de colonisation occidentale et d'autres lieux de l'Ancien Monde ; mêmes motivations, mêmes objectifs. Et la violence et l'injustice européennes avaient depuis longtemps contraint nombre de victimes à chercher refuge ailleurs. Sans le droit de fuir les camps de la mort nazis, aucun « droit divin » n'aurait jamais réussi à rétablir, chez nous, le royaume d'Israël. Et cela fait longtemps que nous avons compris que notre peuple arabe palestinien est la seconde victime, après les juifs européens, du nazisme, du fascisme et de l'antisémitisme européens. D'ailleurs l'antisémitisme est un fléau occidental depuis l'établissement en Espagne des tribunaux de l'Inquisition qui persécutaient les juifs et les musulmans.

Il y a toutefois, entre la colonisation sioniste en Palestine et les autres colonisations en d'autres points du monde, une différence fondamentale, c'est la différence de temps. Le temps est révolu où l'on pouvait régler une question nationale ou ethnique par l'extermination de tout un peuple. Et, cependant, des milieux influents en Israël ont voulu ignorer cette différence de temps, aidés en cela par des milieux arabes au nationalisme étroit qui, tout en négligeant le péril bien réel d'extermination qui menaçait et menace encore le peuple arabe palestinien dans son propre pays, ont fait croire au monde — et à eux-mêmes — que ce péril menaçait Israël. L'image vraie de notre peuple martyrisé s'en est trouvée complètement déformée et même inversée aux yeux du monde, la victime étant présentée comme le bourreau et c'est celui qu'on jette aux déserts de l'errance qui est présenté comme animé de la volonté de jeter les autres à la mer.

Le peuple arabe palestinien, de par sa situation et ses pratiques quotidiennes, a été le premier à s'apercevoir de cette nouvelle réalité née de la lutte sanglante pour la Palestine. Le fait majeur de cette réalité est que l'Etat israélien n'est pas un phénomène transitoire et qu'il ne peut pas, en ce temps qui est le nôtre et dans la situation actuelle des Arabes et du monde, partager le destin qui fut celui des royaumes francs des croisés sur cette Terre Sainte, il y a mille ans. Le peuple arabe palestinien n'a pas d'autre patrie que la Palestine et les souffrances endurées dans les déserts de l'exil arabe n'ont fait que le persuader davantage de cette vérité. Cet amour pour sa patrie aura failli l'amener au sacrifice suprême consenti par cette mère véritable du célèbre récit du jugement de Salomon.

Lorsque M. Rabin parle de ce fait nouveau, la prise de conscience par le monde arabe de l'impossibilité de « l'option militaire » dans son rapport à Israël, il ne mentionne qu'une moitié de la vérité ; il s'en tient à la situation actuelle en Israël mais il ignore la situation palestinienne, telle qu'elle se présente désormais. Les partisans israéliens de la « déportation » (« transfert ») se sont donné toutes les conditions logiques et stratégiques pour rendre possible, avec le temps, l'application de la « solution indienne » au peuple arabe palestinien : en 1947 et 1948, en 1967 et encore pendant ces dernières années de l'Intifada, il s'agissait d'effacer en Palestine toute existence nationale palestinienne.

Mais c'est au résultat exactement contraire que l'on a abouti : le peuple arabe palestinien a manifesté une capacité quasi miraculeuse à perpétuer, dans sa patrie, son existence nationale. Nous n'avons cessé, pour notre part, de tenter d'attirer le regard de l'opinion publique et des dirigeants israéliens, ainsi que celui de l'opinion publique du monde, sur cette réalité nouvelle : le peuple arabe palestinien, dont on peut dire assurément qu'historiquement il n'a pas eu de chance, ne peut pas être exterminé dans sa patrie. Le gouvernement Rabin-Pérès mérite toute notre estime pour avoir su franchir la barrière d'une haine invétérée qui ne sera pas arrivée à ses fins. Mais ils n'auraient pas accompli ce geste, s'ils n'avaient pas compris la véritable signification de la chute du précédent gouvernement du Likoud, à savoir la reconnaissance implicite par Israël, par les Arabes et par le monde, de l'impossibilité d'une solution qui supposerait la disparition en Palestine de l'existence nationale palestinienne.

De même qu'il est prouvé désormais que l'on ne peut pas imposer à Israël le sort qui fut, il y a mille ans, celui des royaumes francs des croisés, il est prouvé aussi que l'on ne peut imposer à la Palestine le sort qui fut, il y a cinq cents ans, celui de l'Andalousie.

C'est pourquoi la joie et l'espoir manifestés par les milieux populaires palestiniens et israéliens à l'annonce de ce qu'on appelle ici la « grande percée » n'ont rien d'excessif, ni de précipité ; aucune initiative, au long de l'histoire moderne des deux peuples, n'aura pareillement exprimé les vœux profondément enfouis dans leurs cœurs.

Mais le fait que cette percée ait été préparée par tout ce qu'auront accompli les intellectuels et les créateurs des deux peuples a permis de ménager la perspective d'une terre ferme et bien visible à ce qui n'est plus un saut dans le vide.

Assurément, nous n'ignorons pas l'importance des articles de cet accord historique, ni la quantité d'efforts et de temps qu'il faudra dépenser pour régler les différends qui vont surgir à propos de ces articles ; et il ne serait guère acceptable que les Israéliens prétendent avoir payé un prix exorbitant pour cet accord historique car aucun peuple n'a payé pour l'obtenir autant que le peuple arabe palestinien et tous les sacrifices consentis pour la paix semblent pâlir devant le prix qu'a exigé, qu'exige encore, cette lutte sanglante.

Mais la question désormais dépasse tous les articles particuliers d'un accord historique qui va amener un bouleversement révolutionnaire de la mentalité des gens ordinaires vis-à-vis de l'autre peuple. Ce qui était impensable devient chose naturelle, ce qui était impossible à résoudre pourrait bientôt trouver de soi-même une solution. Et de même que les partisans de l'accord appréhendent tout recul qui pourrait survenir, ses adversaires sentent bien que son succès les effacera du champ politique et intellectuel. Nos peuples ont grand besoin que cessent les assauts rhétoriques autour de cet accord. Car il va les guérir d'une blessure jamais close qui épuisait leurs ressources matérielles et spirituelles, et à cause de laquelle les horizons du monde nouveau leur demeuraient interdits, ce monde d'après la guerre froide, qui se construit aujourd'hui.

Certes l'opposition à cet accord qui se manifeste chez les Arabes et les juifs est préoccupante et l'on ne doit pas la négliger, mais un tel bouleversement des mentalités et des orientations ne pouvait pas ne pas susciter des réactions violentes.

Pour nous, les partisans palestiniens et israéliens de l'accord, nous nous sommes sentis soulagés et réconfortés, lorsque Nelson Mandela a adressé son salut à ceux qui l'ont signé. L'expérience de l'Afrique du Sud montre bien que tout pas rendant plus proche la réalisation de la paix est accompagné de réactions violentes ; et cela est malheureusement naturel.

Les artisans de cet accord historique ne doivent pas se laisser effrayer par la résistance que lui opposent ses adversaires ; d'ailleurs nous espérons que ceux qui n'ont pas craint de faire ce saut majeur, sont parfaitement qualifiés pour poursuivre leur chemin jusqu'à la fin. Aussi bien sommes-nous fondés à demander à ceux qui, parmi les Palestiniens, s'opposent à l'accord au nom du « droit absolu » pourquoi ce qui vaut pour le peuple de Nelson Mandela ne vaudrait-il pas pour le peuple palestinien ?

J'appartiens à cette génération qui a vécu la catastrophe du peuple arabe palestinien — en 1947-48 — et vit aujourd'hui les jours où, pour la première fois, la possibilité se dessine d'un dépassement définitif de cette catastrophe.

J'appartiens à cette génération qui a compris, à travers son expérience, que la société arabe palestinienne est, de toutes les sociétés arabes, la plus mûre et la plus apte à intégrer la nouvelle réalité, quoi qu'il en coûte. C'est aussi celle qui est le mieux préparée à accepter Israël et la coexistence avec lui dans la paix. Il est intéressant de constater que l'un et l'autre peuples considèrent ce pays comme leur patrie unique et l'un comme l'autre ne peuvent vivre que là, dans la dignité et la sécurité.

Nous sommes le peuple auquel il aura été échu de souffrir par ses frères et ses amis, davantage parfois que du fait de ses ennemis eux-mêmes. Nous avons souffert du comportement de frères qui usaient de la cause palestinienne comme d'un slogan dans leurs propres batailles politiques, bien loin de voir en elle une cause autonome, et nous avons souffert des tentatives de nos amis qui voulaient faire l'épreuve, sur notre peuple et son destin, de leurs théories et de leurs doctrines rigides. Souvent cela nous a donné envie de leur dire, aux frères et aux amis : « Laissez-nous tranquilles ! »

Mais nous sommes désormais au-delà de tout cela et notre vœu, c'est que la « conscience mondiale » — et d'abord celle de l'Occident — ait bougé dans la bonne direction, c'est-à-dire dans le sens de l'aide et du soutien. C'est ainsi que ce petit peuple se verra dédommagé d'un demi-siècle d'abandon, d'incompréhension et de mauvais traitements.

Il y a des gens pour concevoir de la colère à voir le « bouc émissaire » se révolter contre son destin. Mais c'est maintenant chose faite et bien faite.

Traduction : Luc Barbulesco


*Mardi 2 novembre 1993*

## Imaginer la paix

David Grossman *

Un jour, près des pyramides, un Egyptien m'a dit : « Nous signerons un accord de paix avec vous, nous ferons du commerce avec vous, nous achèterons chez vous et vous vendrez chez nous. Vous pouvez nous apprendre beaucoup. Mais vous n'entrerez jamais dans nos cœurs ». Je lui réponds aujourd'hui que je suis d'accord. Je ne cherche pas à être aimé ; mais pouvez-vous, vous, Arabes, intérioriser le fait simple et décisif de notre présence ici ?

Telle est la question : existe-t-il une chance qu'Israël soit admis un jour au Proche-Orient ? Le monde arabe acceptera-t-il — après dix ou vingt ans d'une paix froide, formelle, extérieure — non pas la simple existence d'Israël, mais son droit à

* Ecrivain israélien, auteur du *Vent jaune* et *Voir ci-dessous amour*, éd. du Seuil.

constituer ici une partie organique, inséparable, du Proche-Orient ?

Je doute que cela puisse survenir dans les prochaines années. Les négociations de paix sont, bien sûr, un bon début ; mais de nombreuses années s'écouleront avant que soit achevé, dans la conscience et l'éducation du monde arabe, le changement considérable qui amènera les générations à venir à adopter une attitude différente à l'égard d'Israël. Pour que cela se produise, pour que naisse un autre désir que la seule envie d'utiliser le savoir-faire agricole et technologique des Israéliens ou la richesse et la puissance des juifs (mythiques dans l'esprit des Arabes), ils devront se familiariser avec la riche spiritualité du judaïsme, avec la culture juive et israélienne, avec le destin particulier, tragique, des juifs.

La même question devrait être posée aux juifs israéliens. Est-ce qu'Israël réalisera un jour qu'il fait partie du Proche-Orient ? Quand les juifs israéliens commenceront-ils à comprendre que si nous sommes ici, au cœur du monde arabe, ce n'est pas le fruit du hasard, d'une incommodité géographique ou d'une erreur bureaucratique, mais l'un des fondements de nos vies, et même un grand défi ? Quand s'intéresseront-ils aux règles de l'islam ? A l'art et à la philosophie arabes ? Quand manifesteront-ils pour la littérature arabe un goût égal à celui qu'ils ont montré pour la littérature sud-américaine ? Quand l'arabe sera-t-il enseigné chez nous comme deuxième langue étrangère au lycée ? Quelle sera l'attitude des Israéliens face à la mosaïque des modes de vie arabes : arrogance, mépris, curiosité colonialiste ou peut-être abnégation face à l'immensité du monde qui s'étendra devant eux ? Deviendrons-nous des Levantins — et pas seulement au sens négatif du terme ? Ce monde-là nous enseignera-t-il de nouvelles façons de vivre ? Est-ce que se produira, par exemple, une confrontation entre les notions orientales et occidentales du temps ?

Allons-nous cesser de préférer, imiter, aduler de façon automatique tout ce qui vient de l'Occident, et nous ouvrir à ce que l'Orient peut nous offrir ? Après tout, nous sommes ici en Orient ; et il est toujours un peu embarrassant de nous rappeler que l'Occident des Lumières nous a infligé un nombre d'épreuves, de peines et de morts sans commune mesure avec ce qu'a fait le monde arabe. Hitler, et Chemlinsky, et Staline : ils ne sont pas d'ici. Il n'est pas question, bien sûr, de tourner le dos à l'Occident, auquel nous rattachent des milliers de liens, mais tout simplement de nous souvenir que notre présence ici peut permettre d'établir des relations particulières, de mettre au point des combinaisons que nous seuls... avec notre histoire et notre culture spécifiques, pouvons créer.

J'ignore si un homme peut assumer son existence à un endroit où l'on ne veut pas de lui. Une autre raison pour laquelle nous sommes rejetés (pas la seule — une autre) vient peut-être de ce qu'il émane de tout notre être, depuis des temps immémoriaux, un séparatisme vis-à-vis de la région. Peut-être cette distance affichée est-elle perçue par les Arabes comme notre sens du transitoire, comme une évidente incertitude sur notre volonté de vivre ici. De tout notre être... Peut-être cela va-t-il changer — la crainte d'être chassés va diminuer. Peut-être l'idée que nous ne serons pas chassés va-t-elle nous inciter à vouloir rester ici.

(A propos de cette distance arrogante, proclamée, la plus grave erreur qu'Israël pourrait commettre, une fois la paix installée dans la région, serait sans doute — comme me l'a déclaré l'an passé un écrivain libanais — de nous adresser aux Saoudiens, avant tous les autres, pour mettre sur pied une entente économique. En agissant ainsi, affirmait cet écrivain, Israël justifierait les soupçons des Arabes pour lesquels il n'est qu'un prolongement de l'Occident, soucieux avant tout de créer — avec l'autre relais, l'Arabie Saoudite détestée — une tête de pont capitaliste artificielle au Moyen-Orient. De quoi nourrir la réflexion. J'espère que nous en débattrons un jour.)

Une question s'impose à moi ; la plus importante de toutes, essentielle : à quoi cela ressemble-t-il de vivre sans ennemi ? Je ne connais pas de vie sans ennemi. Etant donnée la nature de la paix à venir, je suppose que je ne serai pas confronté à ce problème au cours de ma propre existence. Il restera entre nous beaucoup d'animosité. J'espère pourtant que les générations futures auront à découvrir ce que c'est que de vivre sans une menace de mort permanente. Bon, j'exagère ! Voilà que je profite de la situation pour élucubrer, rêver d'une paix totale, éternelle, la paix qui viendra après que toutes les batailles auront été livrées et que la région connaîtra une stabilité définitive. C'est un pari difficile que d'apprendre à vivre une vie qui n'est plus bornée par l'affrontement et la guerre et dont l'horizon n'est plus limité par la peur de mourir.

Ce n'est pas simple. C'est aussi dur qu'il est difficile à un esclave de se libérer de ses chaînes ou à un individu de se délivrer d'une insuffisance autour de laquelle il a construit toute sa personnalité, en s'abritant derrière l'encombrante construction qui lui permettait de supporter son imperfection. A la fin, une telle personne devient prisonnière de ce qu'elle a bâti et si on lui propose un remède susceptible de la guérir, elle s'inquiète : comment vais-je pouvoir vivre sans ma maladie ?

Nous connaissons tous des gens dont l'existence est une lutte permanente contre une incapacité physique ou affective. Il leur arrive parfois de confondre leur destin avec leur handicap. Il se peut que la situation où nous nous trouvons soit devenue une infirmité, si l'on peut dire ; que certains d'entre nous s'en accommodent et qu'ils en tirent des arguments et une idéologie. La vie de tous les jours nous a rendu familières ces nécessités qui deviennent des valeurs, ces angoisses qui créent des idéaux, et ce talent horrible que nous avons appris à perfectionner jusqu'à des extrémités répugnantes : le talent d'être un ennemi.

Hegel a écrit jadis que ce sont les méchants qui font l'histoire. Il me semble qu'au Proche-

Orient, nous avons fini par inverser la formule : c'est l'histoire qui rend les gens méchants. La nécessité d'être toujours plus dur, rusé, suspicieux et impitoyable, détruit une part de notre âme. Elle gèle notre conscience, notre volonté et même notre langage, comme une sorte de mort intérieure.

En Israël, c'est clair, la libération des esprits va leur permettre de s'occuper de problèmes domestiques. Où cela nous mènera-t-il ? La bataille culturelle entre laïcs et religieux orthodoxes aura-t-elle lieu ? L'évolution de la situation économique respective d'Israël et des Palestiniens dans les territoires occupés conduira-t-elle certaines couches de la population israélienne à exercer des fonctions subalternes ? Assisterons-nous à nouveau à des conflits d'ordre social ou économique ? Quels seront les effets de la pénétration des valeurs et des habitudes du monde arabe dans une société israélienne constituée en majorité de juifs qui appartenaient au même monde il y a encore une génération ? D'une façon plus générale, comment nous débrouillerons-nous sans ennemi désigné contre lequel diriger notre agressivité ? Sans cet ennemi dont l'existence nous unit ?

L'absence d'ennemi introduira peut-être un peu plus de variété sur la palette de nos émotions à l'égard de chacun et de tous. Peut-être serons-nous plus sensibles aux nuances qui s'étalent entre la haine et l'amour ? Entre être et ne pas être ? Nous saurons peut-être nous détacher de notre besoin pathétique d'union sacrée. De consensus à chaque avancée de notre vie. Peut-être allons-nous secouer le conservatisme israélien, l'amour des définitions précises, des frontières claires et bien tracées en toute chose, y compris l'art, la mode et les relations entre hommes et femmes ? Le débat public, toujours si véhément en Israël, sera peut-être plus modéré si l'on débranche l'amplificateur de la « vie sur le fil du rasoir ». Peut-être serons-nous plus calmes, indulgents, plus humains les uns envers les autres.

Lorsqu'on vit en état de guerre permanent, trop de mots sonnent comme des roulements de tambour. Nous n'aurons plus besoin de ces encouragements rythmés. Nous allons peut-être apprendre à parler — et écrire — une langue moins emphatique, où ne se répercutera plus l'écho de tant de générations : un langage fonctionnel, d'aujourd'hui, simple et généreux.

Alors, nous serons peut-être capables de comprendre d'une façon plus tangible le sens de la question : « Qu'est-ce qu'un Israélien ? » ; et nous saurons l'intégrer à l'éternel débat sur : « Qu'est-ce qu'un juif ? ». Peut-être, si nous ne nous sentons plus en danger de mort permanent, une indication va-t-elle se faire jour — pour la première fois en tant d'années — sur la différence éminente et essentielle entre ceux d'entre nous qui vivent ici et le juif comme mythe et symbole. Le juif errant, persécuté, qui survit malgré tout ; celui qui triomphe de la mort. Le juif dans son ghetto, en Europe, au Proche-Orient. Alors nous pourrons — nous devrons — nous forger une idée positive de l'expérience d'Israël : non plus « en quoi nous sommes différents des juifs de la diaspora », mais ce que nous sommes ici. Oui, qu'est-ce que l'être israélien emprunte aux deux mille ans d'histoire du judaïsme, et qu'est-ce qu'il crée de spécifique ? Quelles valeurs juives pouvons-nous assimiler, ici, en Israël, dans notre vie de tous les jours ? Quelle part de l'histoire juive voulons-nous transmettre à nos enfants ? Aucun doute n'est permis : nous avons la possibilité de transformer la vision que nous avons de nous-mêmes. D'affronter notre passé.

Des millions de juifs des différentes diasporas vont désormais devoir choisir : maintenant que la vie en Israël devient plus normale, qu'elle implique tant de nouveaux défis — le moindre n'étant pas l'interrogation sur le sens même de leur judaïté —, viendront-ils nous rejoindre ? La fin de la guerre et de l'occupation posent une question difficile et sans ambiguïté aux millions de juifs qui se considèrent comme sionistes et se disent « perplexes ». Viendrez-vous ici, ou resterez-vous là-bas ?

Si vous ne venez pas, allons-nous — nous les gérants de l'hôtel Sion — garder les chambres que nous avons réservées à votre nom ? Ou devrons-nous fixer une date d'expiration à la fameuse loi du retour (bien sûr, nous ne mettrons pas en cause le droit de ceux qui viennent ici parce qu'ils sont persécutés ou que leur vie est menacée) ? Et, du même coup, commencerons-nous à résoudre le problème de l'égalité réelle pour ce cinquième des Israéliens qui ne sont pas juifs ? Le débat sur leur place en Israël va prendre de l'ampleur. Mettront-ils fin à leur passivité pour devenir des hommes et des femmes qui exigent une égalité totale devant la loi ? Avec quel degré de tolérance la majorité juive accueillera-t-elle ces nouvelles exigences, après les nombreuses concessions que cette majorité — qui se perçoit comme une minorité — aura déjà faites. Les Palestiniens voudront peut-être manifester en Israël, et pas seulement en Israël, leurs aspirations à « l'auto-expression ». Cela aboutira-t-il à une tentative délibérée de créer l'Etat de Galilée, menace qui a été jusqu'ici niée, du moins dans les discussions publiques ?

Le Premier ministre israélien, Yitzhak Rabin, sait qu'au cours des derniers mois, il a, à lui seul, créé l'Etat palestinien. Yasser Arafat comprend qu'il a définitivement renoncé à son rêve de créer un grand Etat palestinien susceptible d'empiéter sur une partie de la terre israélienne. Israël fait des concessions immédiates et parfaitement tangibles dans les territoires occupés. Israël abandonne des atouts qui revêtent une importance considérable pour sa sécurité. Les Palestiniens, du moins pour le moment, disent, eux, adieu à certains de leurs rêves et de leurs aspirations. J'ignore de quel côté sont faites les concessions les plus douloureuses.

Il y a bien des années que les Palestiniens se tiennent en dehors de l'Histoire, qu'ils vivent dans le souvenir d'un passé glorieux et dans les aspirations extravagantes de l'avenir héroïque auquel ils se croient destinés. Tel l'enfant qui tresse des fantasmes de revanche et de réconfort en s'aidant des fils de son humiliation, ils ont eux aussi cherché à se protéger d'un présent dégradant et déprimant et d'une absence d'espoir pour l'avenir. Dans cette sorte d'état d'esprit, les rêves et les espoirs tournent radicalement le dos à ce qu'il est raisonnablement possible d'obtenir. La charte de l'OLP n'est qu'un exemple de cette attitude.

Par l'accord conclu avec Israël, les Palestiniens renouent avec le cours de l'Histoire et retrouvent le processus de développement naturel à chaque peuple. Un peuple qui reçoit un territoire pour y vivre pourra aussi réintégrer le cours du temps, revenir à la réalité, avec toutes ses possibilités et toutes ses limites. La réalité qui sera désormais celle des Palestiniens est très alléchante, mais elle recèle aussi des difficultés et des complications. Et tout ce que la réalité exige de ceux qui vivent pleinement. Parmi les Palestiniens, des éléments impatients voudront rouvrir la boîte de Pandore des illusions et des fantasmes qui ont empoisonné leur sang depuis tant d'années.

De quelle manière et pendant combien de temps les Palestiniens devront-ils lutter pour dompter ces impulsions, eux dont l'existence a trouvé sa forme première dans le combat permanent et violent contre l'ennemi israélien ? L'occupation n'entraîne pas seulement la perte de l'occupant. Et la société palestinienne, à côté des réalisations formidables des dernières années, a elle aussi entamé un processus difficile marqué par la dégradation morale, l'extrémisme et l'enlaidissement. Des familles se sont désintégrées, l'assise morale de la société a été ternie. Une génération entière d'enfants a dû faire l'impasse sur cinq années d'éducation et d'enseignement normal. Ce peuple connaît l'essence de la liberté, mais aussi l'essence de l'anarchie. Comment une société aujourd'hui aussi fragile fera-t-elle face aux défis qui l'attendent ?

L'instauration d'un état de paix absolue nous forcera à de profonds changements. Il nous faudra renoncer au cadre émotionnel mis en place pendant les décennies, et même les siècles au cours desquels nous avons été privés du sentiment de sécurité.

Nous avons tous, juifs et Arabes, été façonnés par ce conflit prolongé, sanglant, d'une extrême violence. Les expériences, les compétences et les instincts du professionnel de la survie sont gravés en nous à l'eau forte depuis nos premiers souvenirs.

Il n'est que de regarder les dirigeants de cette région : Hafez el-Assad, le roi Hussein, Yasser Arafat, pour avoir une idée du tableau des experts de la survie qui peuplent le Proche-Orient... Trois des quatre plus récents Premiers ministres israéliens (Menahem Begin, Yitzhak Shamir et Yitzhak Rabin) ont jadis commandé des organisations militaires clandestines. Ce sont des guerriers, des personnages pour lesquels la sécurité est un impératif absolu. A maintes reprises, nous — citoyens, dirigeants, communautés — avons survécu à toutes sortes de calamités. Aujourd'hui, nous sommes prisonniers d'un paradoxe : après avoir appris à survivre pour pouvoir vivre, le seul mode de vie que nous connaissions aujourd'hui est la survie. Mais pas plus. Difficile de faire des rêves dans une telle situation. Difficile d'espérer, de s'ouvrir — aussi peu que ce soit — à notre ennemi. Il est très difficile de prendre un risque, mais il semble qu'il soit aussi très difficile de saisir une chance.

Qui sait quel est le prix que nous payons tous pour cette situation émotionnelle compliquée à laquelle nous devons d'être ce que nous sommes ? Qui sait combien de générations aussi marquées que nous le sommes nous-mêmes sont encore à naître ? Voyez combien il est difficile, aujourd'hui, pour tant d'entre nous, juifs ou Palestiniens, de faire la paix. Voyez comme nous sommes près de laisser passer cette occasion rarissime qui nous est accordée. Cette troupe de survivants, experte dans l'art de déjouer les embûches, est tombée dans son propre piège, un piège qu'elle a elle-même perfectionné jusqu'à l'absurde...

Les concessions que les juifs vivant en Israël sont aujourd'hui appelés à faire ne sont pas seulement géographiques. C'est aussi dans des régions entières de notre âme qu'il nous faut opérer un redéploiement et, parfois, une évacuation totale. S'il doit enfin y avoir une paix stable et durable, il nous faudra revoir une bonne partie de notre phraséologie, et peut-être même y renoncer. Si, dans notre esprit, nous avons moins le sentiment de nous battre au pied du mur, peut-être serons-nous capables d'examiner honnêtement certains des mythes qui font partie de nos vies depuis que dure le conflit : notre éthique de la pureté des armes, ou notre engagement à « rechercher la paix à tout prix » (dans lequel nous nous sommes drapés toutes ces années, alors que nous aurions pu obtenir la paix, mais ne l'avons pas recherchée). Il serait intéressant de nous pencher honnêtement sur la pertinence d'une expression telle que le « Peuple élu », et sur ce qu'elle en est venue à signifier pour nous.

Il semble que nous nous engagions lentement sur la voie du renoncement. Renoncement à la culture issue du creuset national formé par notre outil militaire, avec une mise en doute de ce creuset national et de cet outil militaire en tant que valeurs morales. Renoncement aux nuances sophistiquées que nous avons créées — grâce à d'impressionnantes contorsions — pour combler le fossé entre le judaïsme de combat et la morale du judaïsme. Renoncer au sentiment d'être dans notre bon droit (qui a parfois conduit à des abus) et d'être forts (qui confine parfois au larmoiement) dont nous a dotés notre image de victime. Renoncer à certains codes de comportement typiquement israéliens, qui sont pour la plupart des codes virils et militaristes. Comment parviendrons-nous à créer pour nous-mêmes un champ d'expérience qui ne baigne pas jusqu'à la suffocation dans le mythe du sacrifice d'Isaac, dans le mythe de Massada ou dans une vision unidimensionnelle de l'enseignement à tirer de l'Holocauste ?

Dans l'un de ses essais, Elias Canetti affirme que la survie consiste en fait en une expérience répétée de la mort. Il s'agit, dit-il, d'une sorte d'exercice de confrontation avec la mort et avec la peur de la mort. J'ai parfois l'impression qu'un peuple formé de professionnels de la survie est un peuple avant tout familiarisé — d'une certaine manière — avec la mort. Un peuple dont l'interlocuteur profond, le véritable interlocuteur, est la mort, plus encore que la vie. Et je ne parle pas là de ce sentiment qui existe dans la culture germanique, de cette passion romantique pour la mort. Non, ce dont je parle est différent, et plus profond. Je parle d'une certaine connaissance intrinsèque, d'une connaissance qui se transmet par le cordon ombilical, d'une connaissance d'une lucidité absolue quant à la qualité concrète et quotidienne de la mort, quant à l'insoutenable légèreté de la mort. Cette connaissance s'exprime, par exemple, dans une phrase que j'ai entendue prononcer par un jeune couple israélien qui, interrogé sur ses projets d'avenir, a répondu qu'il espérait avoir trois enfants. « Comme cela, si l'un d'entre eux meurt, il en restera encore deux. »

Souvent, lorsque j'entends des personnes, même très jeunes, parler d'elles-mêmes, de leur vie, de leurs angoisses, j'entrevois, en eux et en moi-même, le pouvoir que renferme la mémoire de l'aspect tragique de l'histoire juive. Et je sens — comme on ressent un frisson — que nous avons parfois une tendance morbide à traiter la vie comme une forme latente de la mort.

Dans une vie de paix complète et continuelle, tout cela devra changer. Pour la première fois depuis la création de l'Etat d'Israël, nous aurons une possibilité véritable de donner libre cours à nos facultés ; de vérifier dans des conditions normales et naturelles ce dont nous sommes capables en tant que peuple ; de découvrir si nous sommes à même de donner naissance à une réalité à la fois pleinement spirituelle et pleinement matérielle, à une réalité plaisante et généreuse ; de nous extraire de la gangue d'apathie et de fatalisme qui nous enserrait au cours des dernières années pour nous élancer dans l'avenir.

Ce n'est pas seulement au peuple palestinien que nous nous apprêtons à accorder le « droit à l'auto-expression », mais aussi à nous-mêmes. Après des années d'erreurs, d'appauvrissement spirituel, de surplace et d'affaiblissement, nous disposons aujourd'hui de l'occasion presque incroyable de faire à nouveau l'expérience, pour la seconde fois en quarante-cinq ans, du miracle de la renaissance.

Traduction : Jean-Luc Pouthier et Architexte


*Lundi 29 et mardi 30 novembre 1993*

# Les accords préliminaires de paix

Le texte de l'accord entre Israéliens et Palestiniens a été écrit en anglais et il n'en existe pas de version française officielle, d'autant qu'il n'a pas vocation à être validé par une quelconque enceinte internationale : les diplomates travaillent sur le texte anglais. Le texte ci-dessous est un mélange opéré par nos soins entre une traduction publiée par la revue *Etudes palestiniennes* et une autre, éditée par l'ambassade d'Israël à Paris. En réalité les deux textes ne présentent pas de différence notable, même si l'on y retrouve des terminologies marquées par des années de guerre : les Israéliens écrivent toujours *Rive occidentale du Jourdain* où les Palestiniens disent *Cisjordanie.* Mais ils parlent bien de la même chose. Quant aux incertitudes sur *Jéricho, sa zone ou sa région*, elles renvoient à des négociations encore en cours et pas seulement à des incertitudes de mots : nous avons bien sûr choisi de ne pas trancher.
Pour donner une idée des similitudes et des différences entre les deux textes français de l'accord il suffit d'en préciser le titre dans chacune des versions. *Etudes palestiniennes* le nomme : *Déclaration de principes sur les arrangements intérimaires d'autogouvernement.* L'Ambassade d'Israël à Paris : *Déclaration de principes portant sur les dispositions d'autogouvernement par intérim.* Hormis le fait que les traducteurs sont des hommes et non des machines, on voit mal ce qui, au fond, sépare ces deux phrases...

Le gouvernement de l'Etat d'Israël et l'équipe de l'OLP (dans la délégation jordano-palestinienne à la conférence de paix sur le Proche-Orient) (« la délégation palestinienne ») représentant le peuple palestinien, sont d'accord qu'il est temps de mettre fin à des décennies de confrontation et de conflit, de reconnaître leurs droits légitimes et politiques réciproques, de s'efforcer de vivre dans la coexistence pacifique et la dignité et la sécurité mutuelles, et de parvenir à un règlement de paix juste, durable et global ainsi qu'à une réconciliation historique dans le cadre du processus politique agréé.

En conséquence, les deux parties sont d'accord sur les principes suivants :

**Article 1 : L'objectif des négociations**

L'objectif des négociations israélo-palestiniennes, dans le cadre actuel du processus de paix au Moyen-Orient, est, entre autres, d'établir une Autorité palestinienne d'autogouvernement intérimaire, le Conseil élu (le « Conseil ») pour le peuple palestinien en Cisjordanie et dans la bande de Gaza, pour une période transitoire ne dépassant pas cinq ans et menant à un règlement permanent basé sur les résolutions 242 et 338 du Conseil de sécurité.

Il est entendu que les arrangements intérimaires sont partie intégrante du processus de paix dans son ensemble et que les négociations sur le statut permanent mèneront à la mise en œuvre des résolutions 242 et 338 du Conseil de sécurité.

**Article 2 : Le cadre de la période intérimaire**

Le cadre agréé pour la période intérimaire est présenté dans cette Déclaration de principes.

**Article 3 : Election**

1. Pour que le peuple palestinien en Cisjordanie et dans la bande de Gaza puisse se gouverner selon les principes démocratiques, des élections politiques directes, libres et générales seront organisées pour le Conseil, sous une supervision agréée et une observation internationale, tandis que la police palestinienne assurera l'ordre public.

2. Un accord sera conclu sur le mode et les conditions précis des élections, conformément au protocole constituant l'annexe I, avec l'objectif d'organiser les élections au plus tard neuf mois suivant l'entrée en vigueur de cette Déclaration de principes.

3. Les élections constitueront une étape préparatoire significative en vue de la réalisation des droits légitimes du peuple palestinien et de leurs justes exigences.

**Article 4 : Juridiction**

La juridiction du Conseil couvrira le territoire de Cisjordanie et de la bande de Gaza, à l'exception de questions qui seront négociées lors des négociations sur le statut permanent. Les deux parties considèrent la Cisjordanie et la bande de Gaza comme une unité territoriale unique, dont l'intégrité sera préservée durant la période intérimaire.

**Article 5 : La période transitoire et les négociations sur le statut permanent**

1. La période transitoire de cinq ans commencera avec le retrait de la bande de Gaza et de la zone/région de Jéricho (*Jericho area*)

2. Les négociations entre le gouvernement israélien et les représentants du peuple palestinien sur le statut permanent commenceront le plus tôt possible et au plus tard au début de la troisième année de la période intérimaire.

3. Il est entendu que ces négociations couvriront les questions restantes, y compris : Jérusalem, les réfugiés, les implantations, les arrangements de sécurité, les frontières, les relations et la coopération avec les autres voisins et d'autres sujets d'intérêt commun.

4. Les deux parties conviennent que les accords auxquels elles parviendront durant la période intérimaire ne doivent pas porter préjudice au résultat des négociations sur le statut permanent ou l'anticiper.

**Article 6 : Transfert préliminaire des pouvoirs et des responsabilités**

1. A dater de l'entrée en vigueur de cette Déclaration de principes et du retrait de la bande de Gaza et de la zone/région de Jéricho, commencera un transfert de pouvoir du gouvernement militaire israélien et de son Administration civile aux Palestiniens mandatés pour cette tâche, comme détaillé dans ce texte. Ce transfert

de pouvoir sera de nature préparatoire jusqu'au moment de l'entrée en fonction du Conseil.

2. Immédiatement après l'entrée en vigueur de cette Déclaration de principes et le retrait de la bande de Gaza et de la zone/région de Jéricho, et afin de promouvoir le développement économique en Cisjordanie et dans la bande de Gaza, l'autorité sera transférée aux Palestiniens dans les domaines suivants : éducation et culture, santé, affaires sociales, taxation directe et tourisme. La partie palestinienne commencera à constituer une force de police, ainsi qu'il en sera convenu. En attendant l'inauguration du Conseil, les deux parties pourraient négocier le transfert d'autres pouvoirs et responsabilités, comme convenu entre les parties.

**Article 7 : Accord intérimaire**

1. Les délégations israélienne et palestinienne négocieront un accord sur la période intérimaire (« l'accord intérimaire »).

2. L'accord intérimaire spécifiera entre autres, la structure du Conseil, le nombre de ses membres ainsi que le transfert de compétences et de responsabilités en faveur du Conseil de pouvoirs et de responsabilités des autorités militaire israéliennes et de son Administration civile vers le Conseil. L'accord intérimaire devra aussi spécifier quels seront les pouvoirs exécutifs du Conseil et ses pouvoirs législatifs conformément à l'article 9 ci-dessous, ainsi que les organes judiciaires palestiniens indépendants.

3. L'accord intérimaire comprendra des dispositions à mettre en œuvre dès l'inauguration du Conseil, pour la prise en charge par le Conseil de tous les pouvoirs et responsabilités qui auront été précédemment transférés conformément à l'article 6 ci-dessus.

4. Pour permettre au Conseil de promouvoir la croissance économique, le Conseil, lors de sa prise de fonction établira, entre autres, un office palestinien d'électricité, un office du port maritime de Gaza, une banque palestinienne de développement, un bureau palestinien de promotion des exportations, un office palestinien pour l'environnement, un office foncier palestinien, un office palestinien pour l'administration de l'eau, et tout autre structure préalablement convenue, conformément à l'accord intérimaire qui précisera leurs compétences et responsabilités.

5. Après prise de fonction du Conseil, l'Administration civile sera dissoute et les autorités militaires israéliennes seront retirées.

**Article 8 : Ordre public et sécurité**

Afin de garantir l'ordre public et la sécurité intérieure des Palestiniens de Cisjordanie et de la bande de Gaza, le Conseil établira une puissante force de police tandis qu'Israël conservera la responsabilité de la défense contre des menaces extérieures, de même que la responsabilité de la sécurité globale des Israéliens, de manière à sauvegarder leur sécurité intérieure et l'ordre public.

**Article 9 : Lois et ordonnances militaires**

1. Le conseil aura le pouvoir de légiférer conformément à l'accord intérimaire dans les limites de toutes les autorités qui lui auront été transférées.

2. Les deux parties réviseront en commun les lois et ordonnances militaires actuellement en vigueur dans les domaines restants.

**Article 10 : Commission mixte de liaison israélo-palestinienne**

En vue d'assurer une mise en œuvre sans heurts de cette Déclaration de principes et de tout accord subséquent concernant la période intérimaire, une commission mixte de liaison israélo-palestinienne sera établie, lors de l'entrée en vigueur de cette Déclaration de principes, afin de traiter des questions exigeant une coordination et des autres problèmes d'intérêt commun et des différends.

**Article 11 : Coopération israélo-palestinienne dans les domaines économiques**

Reconnaissant le bénéfice commun de la coopération pour promouvoir le développement de la Cisjordanie, de la bande de Gaza et d'Israël, un comité israélo-palestinien de coopération économique sera établi, dès l'entrée en vigueur de cette déclaration de principes, afin de développer et de mettre en œuvre, par la coopération, les programmes identifiés dans les protocoles constituant les annexes III et IV.

### Article 12 : Liaison et coopération avec la Jordanie et l'Egypte

Les deux parties inviteront les gouvernements de Jordanie et d'Egypte à participer à l'établissement d'autres arrangements de liaison et de coopération entre le gouvernement d'Israël et les représentants palestiniens d'un côté et les gouvernements de Jordanie et d'Egypte de l'autre, afin de promouvoir la coopération entre eux. Ces arrangements incluront la création d'un Comité permanent qui décidera par accord des modalités d'admission des personnes déplacées en 1967 de la Cisjordanie et de Gaza, de même que des mesures nécessaires pour prévenir les désordres. Les autres sujets d'intérêt commun seront traités par ce Comité.

### Article 13 : Redéploiement des forces israéliennes

1. Après l'entrée en vigueur de cette déclaration de principes et au plus tard à la veille des élections pour le Conseil, un redéploiement des forces militaires israéliennes en Cisjordanie et dans la bande de Gaza sera opéré, en plus du retrait des forces israéliennes opéré conformément à l'article 14.

2. En redéployant ses forces militaires, Israël sera guidé par le principe selon lequel ses forces militaires doivent être redéployées hors des zones peuplées.

3. D'autres redéploiements dans des sites spécifiés seront mis en œuvre graduellement, au fur

et à mesure de la prise en charge de l'ordre public et de la sécurité intérieure par la police palestinienne, conformément à l'article 8 ci-dessus.

**Article 14 : Retrait israélien de la bande de Gaza et de la zone/région de Jéricho**

Israël se retirera de la bande de Gaza et de la zone/région de Jéricho ainsi qu'il est détaillé dans le protocole constituant l'annexe II.

**Article 15 : Résolution des différends**

1. Les différends qui pourraient surgir de l'application ou de l'interprétation de cette Déclaration de principes ou de tout accord subséquent concernant la période intérimaire devront être résolus par des négociations dans le cadre du Comité de liaison conjoint prévu dans l'article 10 ci-dessus.

2. Les différends qui ne peuvent pas être réglés par des négociations pourront être résolus par un mécanisme de conciliation agréé par les parties.

3. Les parties pourront convenir de soumettre à l'arbitrage tout différend lié à la période intérimaire qui n'aura pas été réglé par la conciliation. A cette fin, après accord des deux parties, les parties établiront un Comité d'arbitrage.

**Article 16 : Coopération israélo-palestinienne concernant les programmes régionaux**

Les deux parties considèrent les groupes de travail créés dans le cadre des négociations multilatérales comme un instrument approprié pour promouvoir un « Plan Marshall », des programmes régionaux et d'autres programmes, y compris des programmes spéciaux pour la Cisjordanie et la bande de Gaza, comme indiqué dans le protocole constituant l'annexe IV.

### Article 17 : Dispositions diverses

1. Cette déclaration de principes entrera en vigueur un mois après sa signature.

2. Tous les protocoles annexés à cette Déclaration de principes et le procès-verbal agréé qui y est relatif devront être considérés comme en faisant partie intégrante.

## Les annexes

### Annexe I : Protocole sur le mode et les conditions des élections

1. Les Palestiniens de Jérusalem qui y vivent auront le droit de participer au processus électoral, conformément à un accord entre les deux parties.

2. De plus, l'accord sur l'élection devrait couvrir, entre autres, les points suivants :

a. le système électoral ;

b. les modalités de supervision et d'observation internationale ainsi que la détermination des personnes qui en auront la charge ;

c. les normes et règlements de la campagne électorale, y compris les arrangements pour l'organisation des médias, et la possibilité d'accorder une licence à une station de radio et de télévision.

3. Le futur statut des Palestiniens déplacés, qui étaient enregistrés le 4 juin 1967, ne sera pas affecté du fait de leur incapacité à participer au processus électoral pour des raisons pratiques.

## Annexe II : Protocole sur le retrait des forces israéliennes de la bande de Gaza et de la zone/région de Jéricho

1. Les deux parties concluront et signeront, dans les deux mois suivant l'entrée en vigueur de cette Déclaration de principes, un accord sur le retrait des forces militaires israéliennes de la bande de Gaza et de la zone/région de Jéricho. Cet accord comprendra des arrangements globaux devant être appliqués dans la bande de Gaza et la zone/région de Jéricho à la suite du retrait israélien.

2. Israël mettra en œuvre un retrait accéléré et programmé des forces militaires israéliennes de la bande de Gaza et de la zone/région de Jéricho, commençant immédiatement après la signature de l'accord sur la bande de Gaza et la zone/région de Jéricho de façon à être complété dans une période n'excédant pas quatre mois après la signature de cet accord.

3. L'accord ci-dessus comprendra également, entre autres :

a. des arrangements permettant un transfert de compétences souple et pacifique des autorités militaires israéliennes et de leur administration civile vers les représentants palestiniens ;

b. la structure, les pouvoirs et les responsabilités de l'autorité palestinienne dans ces régions (*areas*), à l'exception de : la sécurité extérieure, les implantations, les Israéliens, les affaires étrangères et d'autres domaines convenus mutuellement entre les parties ;

c. des arrangements pour la prise en charge de la sécurité intérieure et de l'ordre public par la police palestinienne, formée d'officiers de police recrutés localement et à l'étranger (détenant des passeports jordaniens et des documents palestiniens délivrés par l'Egypte). Ceux qui participeront à la police palestinienne et qui seraient venus de l'étranger devront suivre une formation d'agent et d'officier de police ;

d. une présence internationale ou étrangère temporaire, comme convenu entre les parties ;

e. l'établissement d'une Commission mixte israélo-palestinienne traitant des questions de sécurité mutuelle ;

f. un programme de développement et de stabilisation économiques, y compris l'établissement d'un fonds d'urgence, pour encourager les investissements étrangers ainsi que le soutien financier et l'aide économique. Les deux parties coordonneront leurs efforts et coopéreront conjointement et unilatéralement avec des protagonistes régionaux et internationaux pour atteindre ces objectifs ;

g. des arrangements pour un passage sûr des personnes et des moyens de transport entre la bande de Gaza et la zone/région de Jéricho.

4. L'accord susmentionné comprendra des arrangements pour la coordination entre les deux parties en ce qui concerne le passage a) Gaza-Egypte, b) Jéricho-Jordanie.

5. Les instances chargées d'assumer les pouvoirs et les responsabilités de l'autorité palestinienne conformément à cette Annexe II et à l'Article 6 de la Déclaration de principes seront installées dans la bande de Gaza et la zone/région de Jéricho en attendant l'inauguration du Conseil.

6. Outre ces accords convenus entre les parties, le statut de la bande de Gaza et de la zone/région de Jéricho continuera à faire partie intégrante de la Cisjordanie et de la bande de Gaza et ne sera pas modifié durant la période intérimaire.

## Annexe III : Protocole sur la coopération israélo-palestinienne dans les programmes économiques et le développement

Les deux parties conviennent d'établir un Comité permanent israélo-palestinien pour la coopération économique, portant, entre autres, sur les domaines suivants :

1. Coopération dans le domaine de l'eau, comprenant un programme de développement des ressources hydrauliques préparé par des experts des deux parties et qui spécifiera les modalités de coopération dans la gestion des ressources aquifères en Cisjordanie et dans la bande

de Gaza, et fera des propositions d'études et de projets sur les droits en eau de chaque partie, aussi bien que sur l'utilisation équitable des ressources communes au cours de la phase intérimaire et au-delà.

2. Coopération dans le domaine de l'électricité, comprenant un programme de développement de l'électricité, qui spécifiera les modalités de coopération pour la production, l'entretien, l'achat et la vente des ressources électriques.

3. Coopération dans le domaine de l'énergie, comprenant un Programme de développement de l'énergie, qui prévoira l'exploitation du gaz et du pétrole à des fins industrielles, en particulier dans la bande de Gaza et dans le Néguev, et qui encouragera la future exploitation d'autres ressources énergétiques. Ce programme pourra également prévoir la construction d'un complexe industriel pétrochimique dans la bande de Gaza et la construction d'oléoducs et de gazoducs.

4. Coopération dans le domaine financier, comprenant un programme de développement et de promotion financière pour encourager l'investissement international dans la bande de Gaza et en Cisjordanie, de même qu'en Israël, ainsi que l'établissement d'une banque palestinienne de développement.

5. Coopération dans le domaine des transports et des communications, comprenant un Programme qui définira les lignes directrices en vue de l'établissement d'une zone portuaire à Gaza, et qui prévoiera l'établissement de lignes

de transports et de communication à destination et en provenance de la Cisjordanie et de la bande de Gaza et à destination d'Israël et d'autres pays. En outre, ce programme prévoira la construction des routes, voies de chemin de fer, lignes de communication, etc., nécessaires.

6. Coopération dans le domaine du commerce, comprenant des études et des Programmes de promotion commerciale, qui encouragera le commerce local, régional et interrégional, ainsi que des études de faisabilité pour créer des zones commerciales franches dans la bande de Gaza et en Israël, avec un accès mutuel à ces zones, ainsi que la coopération dans d'autres domaines liés au commerce.

7. Coopération dans le domaine de l'industrie, comprenant un programme de développement industriel, qui prévoira l'établissement de centres conjoints israélo-palestiniens de recherche et de développement industriels, promouvra des entreprises communes israélo-palestiniennes et élaborera les lignes directrices en vue d'une coopération dans les industries textiles, alimentaires, pharmaceutiques, électroniques, le diamant, l'informatique et autres industries technologiques.

8. Un programme de coopération et de réglementation dans le domaine des relations de travail et de coopération dans les affaires sociales.

9. Un plan de coopération et de développement des ressources humaines, prévoyant des séminaires et des groupes de travail israélo-pales-

tiniens, et l'établissement de centres communs de formation professionnelle, ainsi que des instituts de recherche et des banques de données.

10. Un plan de protection de l'environnement, prévoyant des mesures conjointes et/ou coordonnées dans ce domaine.

11. Un programme pour développer la coordination et la coopération dans le domaine des médias et de la communication.

12. Tout autre programme d'intérêt commun.

## Annexe IV : Protocole sur la coopération israélo-palestinienne concernant les programmes de développement régional

1. Les deux parties coopéreront dans le cadre des efforts multilatéraux de paix pour promouvoir un programme de développement pour la région, y compris la Cisjordanie et la bande de Gaza, qui devrait être lancé par le G7 [1]. Les parties demanderont au G7 de rechercher la contribution à ce programme d'autres Etats intéressés tels que les membres de l'Organisation de coopération et de développement économique (OCDE), les Etats arabes de la région et les institutions régionales arabes, ainsi que le secteur privé.

2. Le programme de développement sera formé de deux éléments :

a. un programme de développement économique pour la Cisjordanie et la bande de Gaza ;

b. un programme de développement économique régional.

1 Groupe des sept pays les plus industrialisés, NDLR

A — Le programme de développement économique de la Cisjordanie et la bande de Gaza comprendra les éléments suivants :

(1) Un programme de réhabilitation sociale, comprenant un programme de logement et d'habitat.

(2) Un plan pour le développement de petites et moyennes entreprises.

(3) Un programme de développement de l'infrastructure (eau, électricité, transport et communication, etc.).

(4) Un plan de ressources humaines.

(5) D'autres programmes.

B — Le programme de développement régional pourrait comprendre les éléments suivants :

(1) L'établissement d'un fonds de développement du Moyen-Orient dans une première étape, et d'une banque de développement du Moyen-Orient dans une seconde étape.

(2) Le développement d'un plan israélo-palestino-jordanien conjoint pour l'exploitation coordonnée de la zone de la mer Morte.

(3) Le Canal de la Méditerranée (Gaza) à la mer Morte.

(4) Un projet régional de dessalement et d'autres projets de développement des ressources hydrauliques.

(5) Un plan régional pour le développement agricole, comportant un programme de coordination pour la prévention de la désertification.

(6) L'interconnexion des réseaux électriques.

(7) Une coopération régionale pour le trans-

fert, la distribution et l'exploitation du gaz, du pétrole et autres sources d'énergie.

(8) Un plan régional de développement du tourisme, des transports et des télécommunications.

(9) La coopération régionale dans les autres domaines.

3. Les deux parties encourageront les groupes de travail des négociations multilatérales et coordonneront leur action en vue de leur succès. Les deux parties encourageront la poursuite des activités entre les sessions de négociations, de même que des études de préfaisabilité et de faisabilité dans les divers groupes de travail multilatéraux.

## Procès-verbal agréé relatif à la Déclaration de principes sur les arrangements intérimaires d'autogouvernement

A — Ententes et accords généraux

Tous pouvoirs et responsabilités transférés aux Palestiniens conformément à la Déclaration de principes avant l'inauguration du Conseil, seront soumis aux mêmes principes que ceux énoncés dans l'article 4, tels que prévus dans le procès-verbal agréé ci-dessous.

B — Ententes et accords spécifiques

Article 4 :

Il est entendu que :

I. La juridiction du Conseil couvrira le territoire de Cisjordanie et de la bande de Gaza, à l'exception de questions qui seront négociées lors des négociations sur le statut permanent : Jérusalem, les implantations, les sites militaires, et les Israéliens.

2. La juridiction du Conseil s'appliquera relativement aux pouvoirs, responsabilités, domaines et autorités agréés qui lui sont tranférés.

Article 6 (2) :

Il est convenu que le transfert de l'autorité se fera ainsi :

(1) La partie palestinienne informera la partie israélienne des noms des Palestiniens mandatés qui assumeront les pouvoirs, autorités et responsabilités qui seront transférés aux Palestiniens conformément à la Déclaration de principes dans les domaines suivants : éducation et culture, santé, affaires sociales, taxation directe, tourisme et toute autre compétence arrêtée d'un commun accord.

(2) Il est entendu que les droits et obligations de ces services ne seront pas affectés.

(3) Chacun des domaines décrits ci-dessus continuera à jouir des allocations budgétaires existantes conformément à des arrangements qui seront mutuellement agréés. Ces arrangements prévoiront aussi les ajustements nécessaires à la prise en compte des taxes collectées par la perception générale des impôts.

(4) A la signature de la Déclaration de principes, les délégations israélienne et palestinienne commenceront immédiatement à négocier un plan détaillé du transfert de l'autorité relative aux instances mentionnées ci-dessus conformément aux ententes énoncées ci-dessus.

Article 7 (2) :

L'accord intérimaire incluera aussi des arrangements pour la coordination et la coopération.

Article 7 (5)

Le retrait du gouvernement militaire n'empêchera pas Israël d'exercer les pouvoirs et responsabilités non transférés au Conseil.

Article 8 :

Il est entendu que l'accord intérimaire incluera des arrangements pour la coopération et la coordination entre les deux parties à cet égard. Il est aussi convenu que le transfert de pouvoirs et responsabilités à la police palestinienne sera effectué graduellement comme convenu dans l'accord intérimaire.

Article 10 :

Il est convenu que, dès l'entrée en vigueur de la Déclaration de principes, les délégations israélienne et palestinnienne échangeront les noms des personnes désignées par elles comme membres de la commission mixte israélo-palestinienne.

Il est aussi convenu que chaque partie aura un nombre égal de membres dans le Commission mixte. La commission mixte pourra s'adjoindre des techniciens et des experts en fonction des besoins. La commission mixte décidera de la fréquence et du lieu ou des lieux de ses réunions.

Annexe II :

Il est entendu que, à la suite du retrait israélien, Israël continuera à être responsable de la sécurité extérieure, et de la sécurité intérieure et de l'ordre public des implantations et des Israéliens. Les forces militaires et les civils israéliens pourront continuer à utiliser librement les routes à l'intérieur de la bande de Gaza et de la zone/région de Jéricho.

Fait à Washington DC, le 13 septembre 1993.

## Les lettres officielles *

### Lettre de Yasser Arafat à Yitzhak Rabin

9 septembre 1993

Monsieur le Premier ministre,

La signature de la Déclaration de principes marque une ère nouvelle dans l'histoire du Proche-Orient. Avec cette ferme conviction je voudrais confirmer les engagements suivants de l'OLP :

L'OLP reconnaît le droit de l'Etat d'Israël à vivre en paix et dans la sécurité.

L'OLP accepte les résolutions 242 et 338 du Conseil de sécurité de l'Organisation des nations unies.

L'OLP est attachée au processus de paix au Proche-Orient et à une solution pacifique du conflit entre les deux parties et déclare que toutes les questions en suspens relatives à un statut permanent seront réglées par la négociation.

L'OLP considère que la signature de la Déclaration de principes constitue un événement historique inaugurant une époque nouvelle de coexistence pacifique, sans violence ni acte

---

* Traduction *Etudes palestiniennes*.

qui pourrait mettre en danger la paix et la stabilité. En conséquence, l'OLP renonce à recourir au terrorisme et à tout autre acte de violence et assumera sa responsabilité sur tous les membres et personnels de l'OLP afin de garantir leur acceptation, prévenir les violations et sanctionner les contrevenants.

Dans la perspective d'une ère nouvelle et de la signature de la Déclaration de principes, dans le cadre de l'acceptation palestinienne des résolutions 242 et 338 du Conseil de sécurité, l'OLP affirme que les articles et les points de la Charte palestinienne niant le droit d'Israël à exister ainsi que les clauses de la Charte qui sont en contradiction avec les engagements de cette lettre sont désormais inopérants et non valides. En conséquence, l'OLP va soumettre à l'approbation formelle du Conseil national palestinien les modifications nécessaires dans la Charte palestinienne.

Sincèrement,

Yasser Arafat

Président de l'Organisation de libération de la Palestine

**Lettre de Yasser Arafat à Johan Jörgen Holst**

ministre des Affaires étrangères de Norvège

9 septembre 1993

Cher ministre Holst,

Je voudrais vous confirmer qu'à la signature de la Déclaration de principes, j'inclurai les éléments suivants dans mes déclarations publiques :

A la lumière de l'ère nouvelle marquée par la signature de la Déclaration de principes, l'OLP encourage et appelle le peuple palestinien en Cisjordanie et dans la bande de Gaza à prendre part aux mesures conduisant à la normalisation, rejetant la violence et le terrorisme, contribuant à la paix et à la stabilité et participant activement à la reconstruction, au développement économique et à la coopération.

Sincèrement,

Yasser Arafat

Président de l'Organisation de libération de la Palestine

**Lettre de Yitzhak Rabin à Yasser Arafat**

9 septembre 1993

Monsieur le Président,

En réponse à votre lettre du 9 septembre 1993, je souhaite vous confirmer qu'à la lumière des engagements de l'OLP qui y figurent, le gouvernement d'Israël a décidé de reconnaître l'OLP dans le cadre du processus de paix au Moyen-Orient.

Sincèrement,

Yitzhak Rabin

Premier ministre d'Israël

## Table des matières

## Editions de l'aube
## Extrait du catalogue

*Collection* Monde en cours

Alain BADIOU, *D'un désastre obscur (Droit, État, Politique)*
Jean-Christophe BAILLY, *Adieu — Sur la mort des dieux*
Alain BROSSAT, *Le stalinisme entre histoire et mémoire*
Anne-Françoise CABANIS et Chantal JANNELLE (sous la direction de), *La création et le petit enfant*
Paul CHEMETOV, *La fabrique des villes*
Jean-Paul CLEBERT, *Vivre en Provence*
Francis CUILLIER (sous la direction de), *Strasbourg : chroniques d'urbanisme*
André De Los SANTOS, *Bouches-du-Rhône : la ressource humaine*
André De Los SANTOS, *Vaucluse : la ressource humaine*
Jacques-Olivier DURAND, *Tous spectacteurs — La belle aventure des Amis du théâtre populaire*
Norbert ELIAS, *Qu'est-ce que la sociologie ?*
Géophilosophie de l'Europe, *Penser l'Europe à nos frontières*
Denis GUÉNOUN, *L'exhibition des mots — Une idée (politique) du théâtre*
Jean-Pierre KELLER, *La nostalgie des avant-gardes*
Jean-Pierre KELLER, *Tinguely et le mystère de la roue manquante*
Philippe LACOUE-LABARTHE, Jean-Luc NANCY, *Le mythe nazi*
Francesco MAIELLO, *Révolution à l'italienne*
Ivan NAGEL, *Autonomie et grâce — Sur les opéras de Mozart*
Daniel PAYOT, *Des villes-refuges — Témoignage et espacement*
*Prague — Avenir d'une ville historique capitale*, ouvrage collectif
Bence SZABOLCSI, *Les cigognes d'Aquilée*
Alla YAROCHINSKAYA, *Tchernobyl — Vérité interdite*

Achevé d'imprimer en janvier 1994
sur presse CAMERON,
dans les ateliers de la S.E.P.C.,
à Saint-Amand-Montrond (Cher),
pour le compte des éditions de l'Aube,
Le Château, F-84240 La Tour d'Aigues

Numéro d'édition : 146

Dépôt légal : janvier 1994

Numéro d'impression : 3206

*Imprimé en France*